KB162210

自然과 사람의 사랑과 共存을 위한 노래

천창우 詩集

벌레먹은 섬

| 시인의 변명 |

나의 싯적 화두는 변함없이 '바람'과 '어둠'이다. 이 무거운 단어들의 시니피앙(signifiant記表)을 나는 창조와 희망의 시니피에(signifié記意)로 바꾸고 싶다. 이 단어들이 나와 친숙해지기 위해서는 먼저 보편성의 원칙에 충실해야 한다. 보편성의 본질을 헤겔에게서 빌려온다면 "인간의 환경은 고향과 같은 곳"이어야 한다. 그럼으로써 자연을 비롯한 모든 외적 환경에 친숙해지고 인간은 비로소 자유로울 수 있기 때문이다.

따라서 나는 관념적 시각을 벗어나 자연을 모방하고자 시도한다. 자연보다 완벽한 시인이 또 있겠는가? 그래서 추상적 범주의 감성을 벗어나 자연을 자연 그대로 인식하고 받아드리려고 노력한다. 그럼으로써 인식 가능한 미학美學으로 독자나 나 자신에게 다가서 위안을 주고 받으며 위로받고 싶다.

여기에 엮은 졸시는 그러한 생각에서 발화한 상징들로 벌레먹고 병든 자연과 사람을 인식하여 원초적 회복을 꿈꾸는 시인의 삶과 고향에 관한 기억들로 묶어봤다. 독자와 공감하는 시간이 되었으면 더 큰 기쁨이 없겠다. 아직도 문학이라는 드넓은 바다의 저변에 머물러 있어 많이 부끄럽다.

2021. 만추

저자 절

| 차례 |

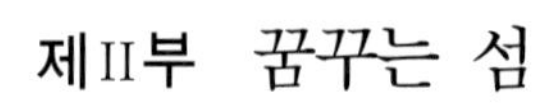

제II부 꿈꾸는 섬

제Ⅲ부 존재의 파종 - 텃밭에서 주운 철학

제IV부 삶과 죽음의 파도 - 흑과 백

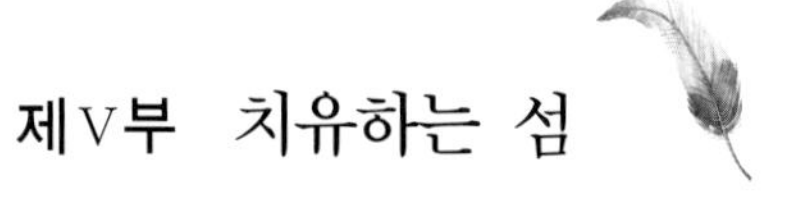

제V부 치유하는 섬

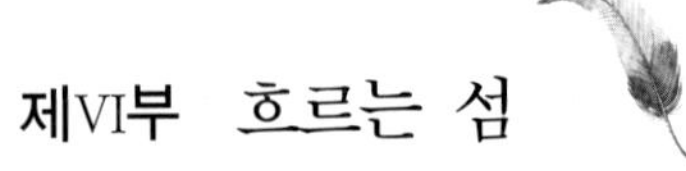

제VI부 흐르는 섬

감상과 평설 | 강희근

제 I 부

벌레먹은 섬

어머니의 섬

태양이 해 맞도록 놀다가고
어둠이 깔리면 달과 별이 찾아드는 곳
수평선 먹줄 튕겨 어둠과 빛을 살피 치는
그 섬은 언제나 거기 있었다
공룡이 새끼를 치고 조상새 둥지를 틀던
그날 이전부터 오늘까지 그리고 내일도
섬은 그렇게 존재했고 존재하고 존재할 것이며
나 떠난 뒤에도 흔들리지 않고 그 자리에서
내 뒷모습 전송하며 서 있을 것이다

늘 그 섬의 치마폭에는 삶이 꿈틀거렸지
자연이 자연을 창조하는 생명의 쉼터
낮에는 물 아래 제 품 내어주고
밤이면 허공에 제 곁을 내어주며
호박꽃에 불 밝힌 반딧불초롱 걸어놓고
수평선 바늘에 꿰어 세월을 솔기지어
가난해도 부유한 삶 창조했었지

그래서 섬은 어머니가 되었어
샛바람 스치면 칭얼대는 바다 어르며
풍성한 젖가슴 내물리는 어머니 되었지

아침은 황금카펫에 햇빛을 초대하고
저녁은 장미빛카펫에 별빛을 누이며
진종일 부테허리 조여맨 베틀에 앉아
바디 당겨 북을 밀어 꿈을 짠다지
하늘이 처음 열리고 닫히는 그 날까지

그래서 언제나 혼자 외로운 섬
새벽에 바람이 드려다 보고 가면
태고의 속울음 서럽게 우는 어머니, 그러나
그 울음을 들어본 물새는 없다
그 눈물을 본 물고기는 없었다
해무는 섬을 안고 섬은 칭얼대는 바다를 달래고
가끔은 땀 번들거린 이마 마른번개로 훔쳐볼 뿐

나는 지금 밤새워 길쌈한 비단폭에
울지 않는 천둥을 수놓고 오래 침묵한
내 어머니 섬 앞에 섯다
물비늘 세우며 바람이 길을 낸다
길은 잠든 바다를 겁탈하고
짓밟힌 바다는 파도 아래 비명을 묻는다

파도 소리치는 바다에는 섬이 없다
바다를 달래기 위해 섬은
끝없이 밀려드는 나이테를 접으며
외로운 울음을 더 오래 울어야 한다

'코로나 19' 소풍 나오다

시퀀스 I 온!(sequence I on!)

뱁새눈 치켜 뜬 봄이 길고양이에게서 졸고
곧게 뻗은 동천 뚝방길 한낮
만개한 왕벚꽃그늘 벤치에
꽃보다 먼저 시든 세월 한 송이
노란 양은도시락 점심 중이시다
파란하늘 어느 구석쯤에 눈시울 걸어둔 체
밥을 먹는지 햇살을 먹는 건지
젓가락은 자꾸만 허방을 짚어낸다

그녀의 숲에 꽃들이 핀다
숲의 가지에는 지뚱구리 조잘대고
가지를 옮겨날던 햇살은 과녁을 꿰뚫었다
퇴색한 금반지에 묶인 손가락 매듭
왕벚꽃고목 썩은 옹이가 작다
따라오던 발자국 시원이 아스라하다
그리 쉽게 흘려보낸 세월은 아니었는데
채무자의 인감처럼 끈질기게 따라오는 낙인
놀란 물고기 한 마리 정적을 찢고
파문에 울려퍼진 윤슬이 해맑다

꽃잎을 토하는 비린 바람이 지나간다
꽃이파리 소르르 흰 눈밭에 내려앉는다
한 술 잡곡밥에 앉는다
마늘쫑볶음, 취나물에 내려앉았다
봄볕에 넋을 얹은 젓가락 아다지오adagio
어디쯤에서 만났을까
눈물일까
그리움일까
이마 깊은 계곡엔 맑은 물소리 번지고

시퀀스 I 오프!(sequence I off!)

다시 잃어버린 에덴

너무 당연한 그래서 그런 것이려니 했어 콩나물시루 같은 지하철 2호선 타고 한 방에서 가족처럼 웃고 울다 때 되면 삼삼오오 근처 밥집으로 몰려가 끼니를 때웠지 끝나면 끼리끼리 포장마차에 어깨를 부딪치며 어제와 다름없는 오늘 소주잔에 부어 마셨지

때론 누렇게 곪은 종기처럼
톡 터뜨려 버리고 싶은
그래서 저마다의 가슴속에
꿈꾸는 별 하나 심어두고 살았지
로또 잭팟이 어둠을 환히 밝히는 날 기다리며

겨울 어느 날 그 잭팟 터졌어
너무나 당연했던 일상은 범죄가 되고
멀었던 이웃은 더 멀어져야 했지
습관처럼 나누던 악수는 주먹이 대신하고
마스크 사기 위해 날짜를 배정받아
약국 앞에 카드 들고 줄을 서야 했어
환자용 마스크는 일상의 필수품이 되고
부부 사랑도 사회적 거리를 유지해야 했어

세상은 '코전B.C'과 '코후A.C'로 나뉘고

'코전'의 이야기는 전설이 되었다지
가족도 이웃도 친구도 동료도
식사도 취미도 유흥도 여행도
사회적 거리란 걸 유지해야 했어
저마다의 고도에서 혼자 아닌 혼자로 살아가는

눈길 가는 곳 모두가 아비규환이라
바람 좋은 봄날에 나설 곳이 없다
평범했던 일상은 아름다운 에덴이었어
서로의 안부를 나누던 이무러운 악수가
술잔에 홍이 진 어깨동무가 그리운 날
진저리진 공간만 아메바처럼 제 지평을 넓혀간다
아무것도 아닌 아무것이 너무나 소중한 날
나는 지금 또 다시 나의 에덴을 잃어버렸다

섬진강 봄비로 오는 펜데믹

어부는 구름에 그물을 던지고
나그네 산허리 감아도는 강가에서
사랑에 주린 은어를 채낚는다
모래톱 걸어 나온 지리산 형제봉
거울에 미끄러진 어선에 깨어져
푸러른 댓잎끝에 제 모가지 옭아매고
마지막 절명의 순간을 전율하며
앙가슴에 접어둔 너의 하얀 이름표 꺼내든다
불러도, 내 입술에는
채납된 노란 압류딱지 붙어있어
마른 사막을 삼키는 침묵만 내뱉을 뿐-
강기슭에 매화향기 먹물처럼 번지고
와도 오지 않는 봄이 하도 멀어
매화꽃잎에 스며 눈물지는 봄비

기다림의 끝

카페에 앉아 식은 커피잔 앞에 두고
사람을 기다려 본 사람은 안다
시간이 얼마나 길고도 질긴지를 -

뻘내음에 코를 박고 삭풍 진 갯펄에서
바지락을 캐는 아낙들은 안다
썰물인 듯 밀물에 쫓기는 시간을 -

갈참나무 숲에서 사향노루 겨누고 숨죽여
방아쇠에 손가락을 놓은 사냥꾼은 듣는다
순간이 영원으로 가는 심장의 박동소리를 -

그 시간들 빈틈없이 반듯한데
아무도 자기 하루를 접고
잠자리에 들 시간은 모른다
삶이 얼마나 길고도 짧은지를 -

나는 골살궂게 아내와 무릎을 맞대고 살타래 풀어 실패에 되감으며 언제 불쑥 찾아들지 모를 꼬두라미를 고대한다 무릎걸음으로 끌려오는 삶의 아퀴[1]를 기다리며 -

1. 아퀴 - 일을 마무르는 끝매듭

세월호 녹슨 잔해 앞에서

삶은 죽음을 위해 캄캄한 바다를 두드린다
세월보다 뜨겁게 끓는 맹골수로 밑바닥 뒤져
한소끔 바람에 날아간 푸른 생生의 흔적을 더듬는다
비열한 승냥이 떼는 유다의 은전을 되박질하다 말고
검은 수평선 물고 컹컹 짖는다
야광탄의 손가락 휘어진 욕망을 닦고

죽음은 부패한다는 것. 생명은 그 부패물 깊숙이 뿌리 내리고 새로운 DNA를 창조하는 것, 분노를 거스러오르는 나는 죽지 못해 차가운 바닷물에 가슴을 절이며, 살았으나 죽은 자로 부질없는 희망을 낚는다. 차라리 어둠의 등 뒤에 숨은 나에게 2,697년의 형을[1] 선고하라! 이팝꽃 이리 흐드러져 무연히 떠나간 너에게 따순 이밥 한 그릇 흐벅지게 먹여 보낼 수만 있다면 이 형벌에 열을 곱해도 좋으니 -

호흡의 마디마디가 미안해 진땀이 솟는다. 뱀의 혓바닥처럼 날름거린 무덤을 파헤치다 손가락 마디가 부러지고 생손톱이 꺾인 널 비웃는 삶과 죽음의 격벽, 어둠은 키를 넘고, 밀물처럼 다가서는 눈빛이 흔들린다

우화하지 못한 나비 어둠에 산화하고

너 떠난 우주는 중심축이 휘어져 비틀거린다
태양은 메마른 뭍에 저주받은 자들 가두고
이제 어둠을 못 박는다
밤夜은 심해의 밑바닥에 영영히 가라앉았고
젖은 옷을 벗은 유성은 좌초된 별들 작두질한다
너무 낮아서 넘을 수 없는 격벽이 운다
질식할 어둠이 진저리 친다
영영 해가 뜨지 않는 칠흑의 밤바다 울리는
피멍든 손목채로 두드리는 운판雲版, 목어소리 함께
캄캄한 지하를 휘돌아 맹골수로에 거친 맥노리 뿌려도
새는 다시 날아오르지 못한다

"너를 얻어 좋은 것도 많았지만,
너를 잃고 잃은 것이 너무 많아 화가 난다"
천만 개의 노란리본으로도 다 못 전한 말 말 말들
미안하다!
이 절망의 땅에서 짓밟힌 연둣빛 딸아! 아들아!

1. 이탈리아의 좌초된 유람선과 승객을 버리고 도망간 프란체스코 셰티노 선장에게 선고된 징역형

씻을 수 없는 이름들 - 호동리 선창에서

혓바닥 내민 그곳 선창에는 바다이 없다
검은 속살 다독이는 가을비 가로등에 찢기고
늦은 귀가 서두르는 갈매기 하얀 그림자가 서럽다

가슴 차오르는 밀물은 착고처럼 발목을 묶고
내게 허락된 여백은 팔을 내뻗기조차 버겁다
투명한 살결에 구르는 빗방울 낚싯바늘에 꿰어
침묵한 아이들 맹골수로에 낚시를 던진다

어둠에서도 삶의 지느러미는 파닥이고
미끼는 가증스런 유혹의 입술 내민다
밀물의 발등 씻는 홀로 선 가로등
하얀 입김 번들거리는 갯펄 일으키려 애써도
기억은 꿈쩍도 않는다

어디에서 잠들었는가?
어둠에 파묻힌 실장어 같은 투명한 이름들
파도를 깎아세워 회색빛 기억의 격벽을 허문다
지워져 바람으로 불린 그리움
노란나비로 무리지어 날아오르고,
씻어도 씻어내도 씻겨지지 않는 밤의 빛깔에

말과 말의 잔해만 도시의 쓰레기로 부유한다

너의 발목을 잡는 뻘창
버둥거릴수록 깊이 침몰하고
나는 겁에 질린 바다를 두고 차마 돌아설 수 없어
체온 잃은 선창에 돌비를 쌓아 무덤하나 짓는다
빠져드는 수렁에서 너와 내가 영원히 벗어나지 못한 늪

시간은 스크린에서 피어나고

남태평양 물너울 밟고 건너 온
이마의 빈디bindi가 고혹적인 여인
영취산 봉우재 넘다말고 모둔숨을 고른다
언어를 봉인한 흰 마스크에 핏빛이 번졌다
천년 너의 이름 파도에 썼는데
고드름 꺾어 고구려 고분에 새겼는데
돌이끼에 벌겋게 녹이 슨 괘종시계 안고
몽유병 든 남풍은 연둣빛 파도를 밀며 온다
해무를 몰고 쫓아온 전설의 돌배石船
고동소리 무겁게 끌며 뭍으로 간
아유타국 공주를 목쉬어 부른다
꽃을 꺾는 초동 손마디에 진달래가 핀다
새 움 돋는 기억하나 산마루턱 넘지 못해
못 다 쓴 이름 바람이 쪼아 꽃잎에 새긴다
동호, 진성이, 종복이, 개심이, 미심이, 미자……
이름을 부를 때마다 꽃잎이 한 잎 진다
돌비에 새긴 이름은 세월에 씻겨지지만
가슴에 새긴 이름이야
세월이 묵을수록 더욱 붉게 피어난다
어둠이 퇴색하고 스크린에 불이 들어오면
마른 갈대꽃으로 흔들리는 그리움엔 눈을 감자

벗어든 내 자켓에 홍건히 빈덧물 고이고
그림자들 일어나 왁자지껄 산능선 기어오른다
진분홍 깃발들 깃폭에 다시 전설을 베끼고 -

겨울비 겨울강

봄을 몸짓으로 부르는 사우비 내린다
어둠은 빗줄기 타고 안개처럼
강물 위 마른 갈대숲 끌어안는다
어느새 자켓후드가 무거워진 동천 뚝방길
벚꽃은 벌써 개구리눈 부라리며 기지개 켜고
겨울비에 속은 구절초 한 송이 멋쩍게 웃는다
물큰한 물내 후각을 쓸며 지나고
이별이 할퀴고 간 하늘 차가운 피로 채운다
저마다의 하루를 보낸 백로가족
하나 둘 모여들어 물위에 날개를 접는다
식구가 함께 검은 커튼을 내리는 수면
목화송이로 흐른 백로가족 모습이 차암 따숩다
목줄에 묶여 제 주인을 믿는 강쥐 한 마리
불쑥 내 앞을 가로막고 왈왈거린다
쉬-잇!!
나도 울고 싶단다
우산을 접고 젖은 길바닥에 엎드려
찬비에 내 알몸 불리며 봄을 보듬고 싶단다
눈감은 개나리줄기 투명한 눈물에 돋은
그날 져버린 화사한 그 꽃잎의 눈웃음

앵두 따는 날 - 어느 전직 대통령 재판을 보다

금남로의 함성이
텃밭가장자리를 배회한다
여태껏 울타리 없는 하늘 넘나들며
제 맘대로 도둑질해 먹던 까치 한 쌍
깍 깍
제 머리위에 소란스런 변명을 쓴다

자수정보다 영롱한 핏방울
이마에 오월의 태양을 질끈 동이고
여직 여린 가지에서 붉기만 하다
너의 피는 빛바랠 줄도 모르는가
입을 꿰매도 속울음 뇌우로 우는데
제 것인 양 배 불리던 까치 까각 깍깍
구린 똥물 내뱉는다

무등에 새 이파리 꽃보다 고운 날
너는 이름 없이 가고
커튼 뒤에 숨은 삭풍은
치부를 가린 채 너의
푸른 절규에 귀를 막는다

알면서도, 보고서도
그러고도 지금 나
일어서지 못하는 무기력에
너의 투명한 핏방울 옥씹는다
물큰 -
피비린내 입안에 향긋하다
앵두보다 여린 함성
가슴에 먼저 붉게 익어가는 날

또 다시 오월이면 III

도끼가 신록의 아침을 찍는다
무거운 케터필더 울림이 산을 밟고 내려온다
뒷산 푸러른 무덤가에 도래솔
그늘 드리운 죄목에 참수 당하고
누운 그림자 투명한 피를 쏟으며
산그림자 거두어 돌아가는 시간
어제는 나를 밟고 섰으니
오늘은 나와 함께 여기에 눕자
하늘을 정수리에 이고
거기 까치집하나 얹어 사는
욕망의 저울에 꿈을 달아 재이는 울음 -
누구에게도 들키고 싶지 않은 비밀
산발한 머리칼에 가려졌던 하늘 집
빈 알껍질 어지러이 제 상처 씹고
허락되지 않는 진실에 망부석은
헤파이스토스의 그물을 깁고 서 있다
구름은 망부석 그림자 제 뼘으로 재단하고
나무는 제 몸을 찍는 도끼를 향해
상처를 보듬고 쓰러졌다
지금은 밧줄에 묶여 망월동 흙 한줌에
제 몸 말리는 지렁이 한 마리

다 하지 못한 말

다하지 못한 사랑

그 이야기 땅바닥에 쓰는 꽃바람, 이젠

시끄럽게 떠드는 까치에 재갈을 물리자

갯메꽃 환히 그늘을 감아오르는 아침

늦겨울 산책

마른 바람 한 점 논두렁에 누웠다
발길에 밟힌 잔설의 비명이 높고
지난 계절은 벼그루터기에서 썩는다
파도처럼 밀려가는 열병식을 사열한다
기척 없이 접근하는 굶주린 화사花蛇를 보았다
게으른 그림자 낡은 제 호주머니 뒤져
어둠 덮고 잠이든 올챙이 기척을 꺼내고
개구리 울울한 합창에 귀를 세운다
외가리 한 마리 왼쪽 날개에 제 주둥이 파묻은 체
살오른 햇살 온 몸으로 받으며 졸다 깨고
스스로를 포기한 낯익은 마른풀들 뒤척임
나는 지금 호스피스병동 4동 404호에 누웠다
마른 물꼬에 서 있는 산발한 갈대꽃대궁
깊은 하늘 짊어지고 휘청휘청 걸어 나온다
잰 발걸음이 내뱉는 북서풍 바튼호흡
안색 바랜 풀잎에 내려 보석이 되고
외가리 잔등에서 미끄러진 각도 큰 햇살
지난 가을 농부의 발자국에 밟혀
사금파리 햇살로 꿈을 찧는다
바지런한 농부는 벌써 봄을 갈아엎고 갔다
꿈을 깬 백로 불평을 물고 비상을 시작한다

다시 빈 들판에 홀로 남겨진 나신裸身
추위를 탓하며 보랏빛 입술 지그시 깨문다
그새 세발 반이 더 늘어나버린 제 그림자 끌며
내게로 돌아오는 길이 참 멀다
기다리지 않아도 칼끝에 저며드는 도마에 누운 계절
또 다른 아침 기다리며 저리 어둠을 삼키는데

황태꽃

햇살 한 줌 뜰팡에 쫘-악 뿌리고 가면
퍼슬거린 육질들 쪼아대는 등성이마다
겨우내 소금에 절인 검버섯 피어난다
거머리, 괴사중 육체의 환부를 핥고
찰진 겨울비 나의 뇌수를 빨아대는 날
지금쯤 적도를 떠돌 북해도 빙산
제 몸에 조각된 흔적들 핥고 있겠지
그 상처 대관령 훑어내린 바람이 보듬고
알몸으로 태양을 굽던 메마른 나날
오뉴월 뙤약볕은 겉부터 말린다지만
정이월 삭풍은 뼛속부터 말린다는 말, 이리
육탁으로 베껴 쓰기까지는 몰랐었다, 아직
알류산열도 거친 파도에 포말로 떠다니는 웃음
덕장은 시리도록 따뜻한 바다를 건지고 있다
돌부처에 너덕너덕한 석이버섯이면 어떻고
짜디짠 세월에 헹군 소금꽃이면 또 어떠랴
온몸으로 피워낸 저승꽃도 꽃이라 부르는 것을
실볕 수런거린 덕장에 볕뉘 좇는 황태꽃

낙엽은 난민이다

낙엽이 무리지어 떠나는 락카*
어둠이 점령한다
제 그림자 등에 업은 행렬이 고달프다
저마다의 수치스런 무게를 떠안은 사람들
무능한 신의 이름 하나로 바다에 뛰어든다
파도가 밀어올린 까만 비명
침묵의 꽃이 핀 모래사장, 지금은
사람이 두렵지 않는 흰나비 되어
젖은 날개 햇볕에 말리고 있다, 이젠
신의 이름을 도용한 신을 제단에서 끌어내리고
그를 못 박은 자들을 나무에 매달아야 하리
나무 끝 깃발들 생명을 비웃으며 찢겨, 모래땅은
왜 자신의 살과 피를 마셔야하는지 모른다
고개를 돌린 신의 이름에 장벽을 높이고
그들의 술잔에 피를 채워가는 좀비들의 광란
낙타는 축배를 들며 잠들 줄 모르는 섬광을 씹는다
끝이 보이지 않는 여정들 꿈을 꾸며 쓰러진다
밤은 또 다른 밤으로 취하고
별이 되지 못한 별들 떨어져 시어詩語로 쌓인다
사랑의 신이 사랑을 짓밟는 신작로, 거기
목 쉰 계절의 시 읊는 소리, 눈보라에

어린 딸 가슴에 품은 아비의 입맞춤이 참 따숩다
지쳐버린 길이 여정을 닫고
마지막 어둠은 눈물을 거둬낸다. 오늘도
까만 눈동자에 가시돋힌 울타리 벼르고
알라가 버린 알라의 자식들이 구걸하는 해변
그 눈빛 외면하는 모래언덕은 더욱 높아
유리하는 부활초 봄비 소식은 아직 멀다

* 락카(아랍어: الرقة) : 시리아 북부에 위치한 도시로 라카 주의 주도.
* 터키 도안통신사 닐뤼페르 데미르가 찍은 해변에 떠밀린 쿠르드족 시리아 난민 아일란 쿠르디(3세 남아) 사진을 보며 -

제II부

꿈꾸는 섬

섬은 흐른다

사막을 항행하는 낙타는 쉬지 않는다
돛이 없는 배는 흐르는 모래를 딛고
곧은 돛대는 파도에 떠다니는
열대의 지평선을 끌어당긴다, 하지만
다가오는 사구砂丘는 언제나 밟히는 법이 없다

검은 터반의 무리는 초승달 휘두르며 범접하고
무리들이 밟고 간 지평선엔 흰 피가 고인다
어제는 결코 어제가 아니다
내일이 오늘이라는 행운도 내겐 없다
열풍은 늘 새로운 길을 열고
물결을 밀어내는 섬은 내 안의 나를 마시며
메마른 황무지에 길을 닦는다

낙타의 목이 한 뼘이나 더 길어졌다
다가서면 멀어지는 모래구릉 건너는 하루
밀려왔다 밀려가는 파도의 율격에 맞춰
썰물지면 썰물 따라
밀물지면 밀물 따라
바람의 등에 업혀 사막을 떠다닌다

뿌리 없는 기억은 유목민이 되었다
내일 없는 오늘이 유랑하면서
포기할 수 없는 생生은 기어이
암탉처럼 웅크리고 사막을 품었다
영원한 무정란의 별을 품는다, 그래서
고단한 낙타는 밤이 되면
푸른 불빛의 포구를 바라보고 우는 것이다

열풍이 휩쓸고 간 대지는 황무지다
황무지를 떠도는 외로운 섬은
바람난 치마폭에 매달리는 철부지
참을 수 없으면 눈물대신 바다를 삼키는 아이
끝없이 퇴적되는 모래를 쌓아 묘봉을 짓고
돛폭은 바람에 기대어 더 큰 섬을 품는
죽음이 삶을 낳는 모순의 연속
정상엔 붉은 절망들 일어서는 비탈이 기다리고

매 순간이 죽어가는 생의 절편
절망이 포기한 지평선은 사구와 구릉으로 제 집을 짓고
생을 짊어진 낙타는 지평선을 반추하는 부호를 타전해
기울어가는 난파선을 구출한다

사암으로 굳어진 전설들 목울대를 치면
물에 불은 별들 비명을 삼키다 죽어가고 -

그래도 나는 너에게로 가는 섬이고 싶다
외로우면 네 품안에 흐르는 섬이고 싶다
사막의 길을 좇다 나침판을 잃어도 다행일 것 같아
행여 자리를 들고 일어서질 못한다
낙타는 오늘밤도 돛폭을 펼치고 운다
변덕스런 열풍을 거슬러
잡히지 않는 사구를 좇아
오늘밤도 메마른 사막을 항행하는 섬

한려백리 섬섬길*

자고 깨면 눈 속에 살아 숨 쉬던 너
너 그리울 땐 거친파도 먼저 가슴에 일어
사나운 물길 넘어 찾아야 했어, 그래서
바람 드세게 서낭당 당상목 울리는 날이면
포구에 모가지를 묶인 목선보다
내 가슴이 먼저 가랑잎처럼 흔들렸지
잠푹히 안개라도 둘리는 날이면
보이지 않는 네 모습에 애간장이 녹았어
후드득 빗방울 흩뿌리고 지나가며
우윳빛 해무 덮인 바다를 쓸어내자
은하의 갈매기 떼 별을 이고 찾아와
툼벙툼벙 바다에 징검돌 놓고 갔다지
그 돌들 제 어깨 내어주고 오작교 놓아
한려백리섬섬길은 삼백예순다섯 날 칠석날이라
화양할멈 아침윤슬에 팔영할배 찾아들고
팔영할배 저녁윤슬에 화양할멈 찾아들지
남지나해 수평선에 시선을 닻놓고
발이 묶인 갈매기 서너 마리
조발도 전망대 비목으로 섰고

* 한려백리섬섬길 ; 고흥반도와 여수반도를 네 개의 섬으로 이은 연륙.연도교 길

택배로 온 선물

바다는 아침을 한껏 밀어올린다
태양은 잠이 덜 깬 붉은 눈으로
먼 하룻길 첫 걸음 내딛으며
가즈런히 닻줄을 사린다
출항하는 배는 바다의 가슴팍을 가르고
멀어지는 언덕을 향해 긴 목 가다듬는다
하루에도 스물네 번 같은 항로 오가는 배
아까의 길은 아니다
어제처럼 솟는 태양도
어제의 태양이 아니다
날마다 쳇바퀴처럼 맴도는 길이
결코 어제의 길은 아닌 것처럼

배는 소용돌이를 이끌고 앞으로 나아간다
태양은 구름을 저어 서산머리로 간다
나는 나의 길을 좇아 또 하룻길 연다
이 길이 빈 바람의 신장로일지라도
흔적 없이 지워지는 꽃잎의 시간일지라도
산 같은 파도를 즐기는 갈매기 날개로 힘차게
비릿한 해무를 찢으며 비상한다
오늘을 가장 그리워한 이가 기다린 기도

그들의 전부를 던져 사고 싶었던 선물
나에게 또 다시 배달된 이 축복의 아침

2021. 9. 16. 보길도 카페리선상에서 아침을 맞으며

내 고향 오천에 와보세요

그냥 이유도 없이 훌쩍 떠나고 싶으시면
내 고향 오천으로 오세요
삶이 한정없이 무너져 내리시거든
내 고향 오천항으로 와보세요

애한의 섬 소록도 지나 거금대교 건너
자신의 영욕보다 고향을 사랑한
우리들 박치기 영웅 김일체육관 지나
섬들이 바다를 품은 경관길 줄렌으로 땡기며
흰모래 푸른 소나무 고운 익금해수욕장 지나
세월로 깎은 몽돌이 지은 예쁜 금장교회당
그 앞에 펼쳐 논 백년해송우슬림 진자무 자갈해변
거기 솔바람에 잠시 쉬며 여지껏 잡아주지 못한
당신의 손 한번 꼬-옥 잡아주세요
섬을 가로질러 제주까지 이어진 목장성 넘어
시비동산에 차를 세우고 전망대 엉'아래
지금은 태풍이 부셔버린 흰 상여바위, 미역 따다
싸내미굴에 빠져 맞은편 어네기섬에 떠올랐다는
불쌍한 싸내미 처자를 위해 동전 한 잎 내 놓는
적선도 잊지 마시구요

지중해 별장 같은 '하얀파도'를 그냥 지나치시면 손해지요
안락한 쇼파에 원두커피 향기에 파묻혀
섬들 사이 물들어가는 까치놀과 이별하세요

누구, 작은내를 건너 돈무치 몽돌들의 노래에서
제 잃어버린 꿈 좀 찾아주시겠어요?
이맘 때쯤이면 못자리 치는 농부 소 모는 소리에
조브장골짝 벚꽃이 무더기로 지고
낮에도 등불을 든 원시림에는
풍장에 씻긴 삶들 하얗게 바래갔었는데
이제는 그 기억들 검은 아스팔트가 묻어버린
27번 국도가 시작되는 시인의 고향입니다

여기, 선외기보다 많은 친구들의 꿈이 묶여 뒤척이고
갱번에는 질 좋은 멸치들이 해풍에 잠이 듭니다
하루가 선외기 굉음에 깨어나거들랑
솔섬의 일출을 잊지 마세요
하루 한번 만나는 엄마와 딸의 슬픈 전설을 품은 모녀
고래가 놀러와 사랑에 빠져
용왕님 노여움에 섬이 되었다는 독섬
큰 배 키를 닮은 큰치섬, 작은 배 키를 닮은 작은치섬

엄마의 박바가지 닮은 둥근녀, 할배모자 준저리
그리고 화살처럼 날아가는 시산도 그 섬들 깨우며
기웃거리는 화려한 아침노을은 당신의 축복입니다

명절이면 보름동안 농악소리 넘쳐나고
마을어귀 천년 당산목에 팽이 노랗게 익고
첨대 매고 찢어진 고무신 들고 낚시하고 꼴 베던
시인의 연초록 봄날이 무지개 화석으로 채색되는 곳
여기는 거금도, 고흥군 금산면 오천항입니다
한가하신 분은 안 오셔도 좋습니다

어둠의 비밀 Ⅳ

가을비 깎아서 순천만에 세운다
한 마리 그림자거미 옭아맨 그물을 찢고
갈대숲 소소한 이야기 귀기우리고 있다
무슨 얘기가 저리도 재밌을까?
갈대는 즈네들끼리 머릴 맞대고 흉을 본다
왕따당한 바람이 무안해서 몰려간 검은 등허리
젖은 날개를 말리는 재갈매기 무리 속
무연히 서 있는 쇠백로 한 마리
나도 짝발로 놀진 하늘을 헤집는다

어둠이 감춘 것은 너만의 언어
집을 나서니 우주가 보인다
우주를 나서니 내가 보인다
나를 벗어나니 네가 보인다
너를 벗어나니 이제서야 혼자인 나를 본다
계절 떠난 기억처럼 초라하게 지우다 찢긴 -

기억을 벗고나니 무겁던 시간들이 따숩다
사랑은 인질잡힌 속박이라고, 그러기에
그 인질범까지 용서하는 것이라고
용서할 수 없는 나를 용서받길 기도하는 나

어둠을 펼치니 남루자락에 별이 쏟아진다
그 별들 산고를 치루는 갈대숲 비비새
제 몸으로 둥지를 뎁히며 아침을 품는다
그림자거미는 다시 집을 짓기 위해 돌아가고

낙엽의 섬

수 억만 년 전 폭발해 벌써 잊혀진 별
그 빛 억만 광년 어둠을 꿰뚫고 날아와
오늘밤 내 품에서 이리 곱게 물들고
파도에 잠이든 휘어진 실가지 하나
끊어진 도마뱀꼬리처럼 가슴에서 팔닥인다

잃어버린 꿈은 그리웁지 않은 게 없지
체온이 식어버린 별은 이 밤도
극지의 밤하늘을 날고 날아 투명한
이글루 창문을 열고 오로라 건반에
달빛마저 얼어붙은 사랑을 연주한다

돌비에 애써 지워버린 이름인들
내 맘대로 수이 잊을 수 있을까
네 모습 지워내도 네 발자국 화인이
심연에 이리도 선연히 찍혔는 걸
삼키지 못해 목구멍을 틀어막은 네 이름
얼어붙은 아스팔트를 뒹굴다 일어서
잊혀진 이름 하나 애타게 부르는 걸

그 그림자 사라지고 나도 떠난 후

빈 자리 붉은 장미 한 송이 들고 찾아와
나의 이름 부르는 너 있어, 나 아직
죽은 게 아니라 너 함께 다시 살아 이리
내 혈관 마디에 타는 기름으로 사부랑사부랑
삭풍에인 계절 따수히 뎁히며 떠 가는 것이니

세밑에서

너는 늘 마지막이라고 말하지?
왜 마지막이라 남은 날만 헤며 아쉬워하는 거야
마지막이란 게으른 자들의 잣대
비겁한 이들의 우산인 것을 -
마지막은 존재하지 않아
지금은 삼류극장 연속상영을 위해
재상영 필름을 되감는 순간

그대가 어디서 오셨는지
그동안 무엇을 하셨는지
앞으로 몇 편의 영화를 더 보시려는지
물을 필요는 없어
따분한 삶을 죽이려는지
외로워서 누군가를 만나 한보따리 싸안은 한숨
풀어놓으시려는지
그것도 아니라면
밤고양이처럼 싸돌다 벌건 눈 부비며 앞 의자에
흙투성이 구둣발 올리고 낮잠이나 한 숨 때리시려는지
모르지만, 아니 풋낯에 알 필요도 없겠지만
너와는 상관없이 영화는 조조부터 자정까지 상영되지
네가 보든 말든 간에

어떻던 스크린은 허구의 사건들을 펼치고
그들만의 삶이 화면 가득 질펀하게 흐르겠지
너와는 상관없는 삶이 너에게 시나브로 스미고
어느새 그 울타리 안에서 너는
또 다른 우화의 날개를 펼칠거야
페이드 아웃(FO), 페이드 인(FI)
한살이 비워내고 또 한살이 채워가며
그림자들 어우러져 한 단을 묶게 되지
삶은 네 안에서 또 희떱게 움 돋고

봄비 상사호 호반에 서다

우리는 누군가로부터 보내져
저마다의 동그라미 하나씩 그리며 산다

조그만 둠벙에서
숲속의 호수에서
파도 바지런한 바다에서
크게 또는 작은 -
사람들은 그것을 희망이라 부르더라

하지만 그것들은 서로의
여울에 깨어져 피안에 가 닿지 못한다
내가 너를
네가 나를 그렇게
우리는 서로의 상처를 핥으며 산다

이 비 그치는 날 여기에 다시 서
투명한 수면에 낚시를 드리우고
피 흘린 내 영혼 만날 수 있을까
물여울 범종소리로
우주의 끝에 가 닿을 때쯤

봄을 파종하다

살아가는 것이 꽃 한송이 피우는 일이라면
나면서부터 두 손바닥으로 하늘 받들어
모름지기 별을 품는
보랏빛 완두콩꽃으로 피었으면 좋겠다
완두콩꽃으로 피어 너만을 향해
기고 또 기어올라
나는 네가 되고 싶다
너의 꿈을 꾸는 장승이고 싶다
시간이 가슴을 난도질하고
부릅뜬 두 눈에 안개구름 개피어도
더욱 또렸해지는 기억들
석순처럼 영글게 어둠을 뚫고 자라면
어느 시린 가을하늘에 폭죽처럼 수놓아
영롱한 신성新星으로 태어났으면 좋겠다
꺼질 줄 모르는 별빛으로 찾아왔으면 좋겠다

삶과 그늘 I

농협버스정류장 한모룽이
엎어진 사과궤짝에 올려진
삶이 허기지다
표고버섯 한 그릇 올려놓고
풋콩 까는 할머니 곁에 오늘
풋마늘 안고 나온 첨 본 아주머니
자리 잡고 앉아 마늘을 깐다
대리석 눈물 방울방울 대접에 고인다
꽃양산 받쳐 든 여인 발길 멈추고
"그 마늘 다 얼마다요?"
쳐다보지도 않고 수건그늘에 숨어 바지런한 손 놀린 체
"오천 원이오!"
모기 한 마리 도망갔다
칼끝만 한참이나 내려다보고 섰던 여인 무심한 발길을 돌린다
침묵의 바람 한 점 멈춰섯다 가고
바위돌보다 무거운 삶이 목덜미에 번득이는 슬픔
늦은 오월 -
기우는 햇살이 그늘을 젖히고
하얀 바람벽에 피에타Pieta상을 조각하고 있다

* 피에타상 - 예수 시신을 무릎에 안고 비탄에 잠긴 미켈란젤로의 마리아상

섬의 자화상 II

도공들은 열심히 문레를 돌렸다
흙먼지는 곰살궂은 구름으로 피오르고
상념은 무지개 쓸어담아 어둠을 연다
작은 우주에는 때로 거친 돌풍이 일고
바람에 덜컹이는 눈비는 계절을 앞장선다

흔들리는 눈빛하나 하늘끝에 걸렸다
우주는 가슴 잃은 제 무딘 팔 내밀고
창호지에 묵빛으로 번지는 허들거린 그림자
저 혼자 무언의 인형극을 펼친다
드넓은 극장의 관객은 언제나 혼자

밤의 침묵이 긴 유닉스 부호를 내뱉는다
바람은 어둠이 깔리는 골목을 돌아들고
나들목 들고나는 불빛 눈빛으로 좇던 가로등
젖어든 불빛 끌며 작달비에 멀어질 즈음
꺼져가는 불화로는 화젓가락 다독인다

모서리가 닳은 침상에 걸린 남루의 무지개
붉은 상복에 쌓여 날개가 꺾인 방안에
마구리 깨어진 달항아리 돌연히 앉았다

저 혼자 우는 천둥의 영각소리 굶주린 밤
잃어버린 나를 목구지하는 뼛골이나 되려하여

불법쓰레기투기장 장미꽃

누구의 다솜[1]일까?
부서진 연탄재 폐타이어 함께 뒹굴고
검은 비닐봉투 상한 언어들 무더기로 게워내는
낡은 블록담장 밑 불법쓰레기투기장
빛바랜 경고문 말뚝에 기대어
장미 한떨기 오지게도 피었다
유월의 햇살 외면하며 지나고
비린 바람조차 에두르는 뒤란길
고개 꼿꼿이 치켜든 붉은 꽃송이들
저희끼리 해맑게 웃고 서 있다
슬퍼할 줄 모르고
원망할 줄도 모르고
썩은 냄새 닦아내고 모난 눈길에 꽃잎 오려붙여
낡은 담벼락에 벽화를 그리느라 땀 흘리고 있다
해 지면 마땅히 돌아갈
제 고향인 줄 알아 -

1. 애틋한 사랑의 옛말

제Ⅲ부

존재의 파종 - 텃밭에서 주운 철학

텃밭에 움돋는 사랑

잡초 밀림처럼 어우러진 무텅이에
도둑처럼 기어들어 슬그머니 뿌리내린
억샌 칡뿌리들 좇아가며 캐냅니다
허리께 넘는 억새풀 갈대 강아지풀
베어내고 아예 싹이 돋지 못하게
뿌리까지 파헤쳐 추려냅니다, 금방
이른 오월 햇볕은 연못에 빠진 생쥐가 되고
수익잖은 손바닥 콩알만 한 물집이 잡힙니다

덩이 흙 부수고, 크고 작은 돌덩이 추려내
퇴비뿌려, 파고, 두둑 짓고, 다독다독 이랑 고릅니다
귀찮은 잡초 없애고, 지열 높이고 가뭄타지 말라고
검은비닐 깔고, 바람 들지 못하게
가장자리 돌며 야무지게 흙으로 갈무리합니다

그러고서야 모종을 꼭꼭 눌러 심습니다
고추, 상치, 가지, 마디호박을 심습니다
구수한 된장국 끓일 아욱도 심었습니다
당신 추수할 때 입바심 하라고
붉은 대추토마토도 여남은 포기 심고
영근 꿈 꼭꼭 다져 땀으로 물을 줍니다

살품 넉넉한 내 영혼의 텃밭에 심는
바로 당신 이름입니다

열무갈이

너를 어둠에 가두고 빗장을 지른다 나락으로 굴러 떨어지는 절망은 죽음에서 우화羽化를 꿈꾸는 기도 전부를 버려 전부를 얻으려는 사랑 흔들리지 않는 믿음은 두 눈 꼭 감고 무덤에서 깃발하나 꼿꼿이 들어올리느니

어둠을 삼키는 바람은 동살[1]을 본다
침묵의 소리는 지옥의 해조음으로 울어
파도를 타고 욕정의 분수를 내뿜는다

어둠은 이제야 깊이를 알 수 없는 품을 열고
생명은 그 품에 처음 사랑을 쌓는다, 그리고
내게로 돌아와 별이 되었다, 이미
죽음을 배웠기에 삶이 아름답다는 것을 의심치 않아
생명의 정수리에 내 피를 뿌린다

새벽은 또다른 성벽을 뛰어넘는 용기
고독한 기도는 허공을 기어올라
등이 찢어지는 아픔은 깃발을 털고
절망은 담을 넘어 새벽으로 가느니

1. 동살: 새벽 동틀 때 환하게 비치는 햇살

달팽이 죽이기

이슬 초롱한 아침, 청산도
야들거린 열무를 솎는다
솎는 것은 비워냄을 연습하는 일

여기저기 고만고만한 달팽이
염치없이 열무잎을 씹고 있다
여린 새싹들 비명도 없이 스러진다
내 살점이 씹힌 아픔에 진저리치며
이파리 뒤져 보이는 족족 잡아 으깨 죽인다
인기척에 굴러 떨어져 숨는 얍삽한 놈도 예외는 없다

너와 나는 절대 공생할 수 없다
비워낸 자리는 또 다른 잡풀 욱어지고
맹골수로 흐르는 물은 늘 그리
제 몸 감싸는 변명에 숨이 가쁘지

청산도 청보리도 지금쯤 누렇게 익었겠다
아스팔트 삼키던 소스source원소 안테나 뽑아 엿듣고
입이 찢어지게 비웃으며 도망간다
나는 달리는 매 순간 달팽이를 죽여야 사는
소스인간source-human !

꽃무릇의 겨울사랑

신을 닮은 당신 앞에
나는 신을 만나지 못했습니다, 물론
신도 나를 알아보지 못했지요
한 순간도 쉬지 않고 뛰는 심장 드리는
돌제단의 높이 든 칼 싸늘한 광채를 뿜고
만 권의 노트에 쌓은 기호들 그리
어둠의 불에 태웁니다. 그러나
그 언어와 기호의 행간마다 숨 쉬는
쉼표는 영원한 진행형입니다. 그렇게 널부러진
읽어낼 수 없는 경전의 언어들, 지금
침묵의 궁전에 갇혀있을 뿐
티끌 하나 소멸된 것은 없습니다. 그것들
바람으로 극지의 창공 맴돌다, 어느
가난한 오선지에 뿌리를 내리겠지요
우리는 신神도 붙들어 매어둘 수 없다는
그리움들 투명한 어둠의 벽에 가두고
핏빛 울음 토해냅니다
그러나 지금은 전갈들
그들만의 이야기가 옷깃을 잡습니다
그 이야기 별들이 되박질 하고
삭풍에 성난 파도는 또 그 별빛을 삼킵니다

얕은 물에는 배를 띄울 수 없겠지요
밤마다 깊어지는 심연에 범선을 띄우고
시간이 함몰하는 곳에 바다를 열겠습니다
피쿼드[1]의 돛을 펼치고 제게로 오시지요
그 길 등대불로 맑게 쓸어두겠습니다, 그러나
굳이 험한 길 오시지 않아도 괜찮습니다
나는
당신을 기다리는 기다림으로 행복하니까요

1. 피쿼드호 : 멜빌의 소설 『백경』에서 모비딕을 좇는 포경선

그랬었구나 내가

“게으른 놈은 남 일할 때 놀고 남 놀 때 일한다”는 울 엄마 말 귀에 못이 박히도록 듣고 자랐지. 바쁘다는 핑계는 장미꽃잎이 낭자한 날에야 지난 가을 무시 뽑아낸 텃밭에 무성한 풀 뽑고 쇠스랑으로 일궈 시비하고 땅 골라 비닐멀칭한다

온다는 비는 안 오고 한낮 햇살은 벌써 불볕이다. 땀방울 소나기 먼지 푸석거린 흙더미에 스미고 쇠스랑자루 피가 맺힌다. 허기에 찬 하늘이, 대지가 비틀거린다. 풀썩 주저앉은 잡초더미 풀비린 내 살포름하다. 말끔히 정돈된 검은 비닐멀칭에 걸터앉은 푸른 땅콩모종이 땀을 씻는다

그렇구나, 푸성귀 한 잎 땅콩 한 톨도 빗물 거름만 먹고 자란 것이 아니었구나. 햇살 바람만 마시고 자란 것이 아니었구나. 울 엄마 아부지 오뉴월 땡볕에 마른 침 삼켜가며 흘린 수정 같은 땀방울 받아먹고 자랐구나. 손바닥에 문신으로 박힌 장미꽃이파리 같은 핏방울 마시며 자랐구나

그랬었구나, 내가 -

똑딱 병

오늘도 너울거리던 텃밭 김장배추 십여 포기가 이유도 모른 채
시들어간다
시든 배추는 뿌리도 없이 이랑에 올려놨던 것마냥 들려나온다
내 속이 더 시든다. 지나가던 동네할머니 흙 속 땅강아지가
뿌리를 갉아먹어 그러니 뿌리에 디티가루 뿌리란다
포기마다 하나하나 잎 들추어가며 뿌렸다
그런데도 매일 십여 포기씩 멀쩡하던 배추가 시들시들 죽어간다

죽은 배추 두어 포기 들고 농약상으로 달려갔다
20여 년 농약상 경영했다는 사장
고개 갸우뚱이며 시든 배추 살피더니
농약제조사 사이트 들어가 검색을 시작한다
한참을 훑어내리다
"아! 이거네 이거, 똑딱 병!
아침에 암시랑토 않던 배추
저녁이면 시들어 똑딱 죽는 병, 똑딱 병!"
일찍 파종했거나, 너무 습기나 거름기 많은 땅에서 발병하고
약은 없다네

그렇구나!
작물은 농부의 발자국소리 듣고 자란다는 말만 믿은 왕초보

남보다 잘 기르고 싶은 욕망이
아침저녁 물주고 영양제 분무해주었다
그러면 잘 자랄 줄 알았다
아니 부러워할 만큼 탐스럽게도 잘 자랐다. 하지만
주는 물, 주는 양분, 잎으로만 수이 받아먹고 자라
뿌리는 퇴화하고, 그새 크게 불어난 몸집 독한 갈볕 견디지 못해
이리 시들어 죽어가는 거다
물주기를 멈추고, 비닐멀칭 찢어 토양 말려주고
읍내 농약상 샅샅이 뒤져 모종 한 판 구해 빈자리 보식하며
말없는 자연의 벼락같은 꾸지람을 삭힌다

타는 목마름과 무관심도 때로는 삶을 살찌우는 거름인 것을
메마르고 척박한 사막의 고통이 삶의 아름다운 채찍인 것을 -

일본열도 지나는 태풍자락에 뜨락의 목련 등뼈가 휜다
풍요 속에 스스로 뿌리 내리지 못해 맥없이 시들어가는
오늘의 군상들

텃밭의 젖가슴

보이지 않는 욕망이 출렁이는 언덕
터질듯 한 젖부들기에 살며시 손을 밀어넣습니다
맨드라운 저항이 물결처럼 밀려들어
십이만km 혈관을 타고 돌다 다시 역류하는 피
우듬지에서 푸르르 떨고 있습니다
신의 입김이 이어내린 내 태고의 DNA
그곳으로 돌아가 영영히 잠들고 싶은 기도

당신의 풍성한 젖줄이 마를 때
검은 대지에는 꽃잎이 지고
생명들 비루먹어 먼지로 날립니다. 그래서
신은 당신의 가슴에 꽃한송이 심으셨습니다
삶과 죽음이 언제나 요람에서 시작하기에

억겁을 날아온 별 하나 젖꽃판에 심고 흙을 덮습니다
까만 우주는 깨어나 기지개를 켜고
푸른 생명의 해맑은 웃음이 고개를 쳐듭니다
오늘이 죽은 듯 살고, 산 듯 그리 죽었습니다
아직, 바지런한 어둠이 바람을 출산하고, 생명들
청자빛 하늘을 타고 종탑을 기어오릅니다
흐드러지더라도 살아있는 기다림이 아름다워
당신 젖무덤에 하루를 호미질 한 허기진 바람입니다

다시 상사화

메두사 천개의 눈빛 번갯불로 타고
천둥은 지축을 흔들며 으르렁거리지만
실오라기 하나 걸치지 않은 가녀린 몸
늦은 봄 작달비에 올곧이 섰다
이젠 잊고 살 때도 됐으련만
어둠에 태양을 묻고 뜬눈으로 깨어나
또 다시 스스로를 기만하며
오지도 않을 기다림 기다리시는가?

하기사 -
기다림은 늘 저 혼자 마시는 독배
죽음보다 서러운 뼈를 삭히는 노래
우리네 생에 어디 정답이 있었던가
너와 나의 사랑에 영원이 있었다던가, 그냥
황금을 찾아 황량한 서부를 헤매다 닳고 닳아
예지 잃은 곡괭이 하나 을러매고 돌아가던 것을 -

그래도 나
너의 그 질긴 기다림에 기다림으로 서고 싶다
그래서 단 한 번의 만남으로 재가 되는
DNA의 영원한 사슬 끊었으면 좋겠다

그 아픔 밤마다 다시 소생하는
프로메테우스의 외로운 형벌일지라도
번개처럼 훑고가는 환희에 깨금발 진 눈웃음
초롱한 빗방울에 영롱하게 새겼으니

새싹 변주곡

여기 있었네, 어느새 여기 와 있었네
내게는 스쳐 지난 어제일 거라 생각했는데
나에게는 오지 않을 내일일 거라 생각했었는데, 당신
엄동에도 늘 푸르게 내 곁에서 숨 쉬고 있었네요
수줍게 손 내미는 수선화 저 여린 잎 좀 봐!

미동조차 잊은 늙은 겨울낙엽
무너지는 절망은 망연히 비켜 누웠고
나목의 몸통에 시비가 된 그리움 하나, 매 순간
정수리 꿰뚫고 한정없이 거꾸로 자라나는 소망
핏자욱엔 적막의 이끼들 까무라쳐 우는데

저 여린 손가락 좀 봐봐
천지를 들어올리네
길을 잃은 기억들은 다시 암반을 뚫어 분수로 치솟고
내 삶에 승선했던 시간들이 아름다운 우리
만나야 채워지는 사람으로 푸르게 기다리고 싶은
당신과 나, 깨어지기 쉬운 투명한 유리꽃이었네

막내의 어깨

명절이라고 저 끝에서 이 끝까지 제 가족 이끌고 찾아든 막내아들. 적극적인 성격의 누나나 꼼꼼한 제 형과는 달리 유난히 행동이 굼뜨고 늦잠이 많았던 아이. 코 앞 학교엘 다니면서도 지각을 밥 먹듯 해 담임에게 불려가 부모가 추궁을 듣기도 했었지. 그 아이 내 기억 속에 머문 제 나이또래 손녀와 며늘아이 함께 아비 집 찾아들었다.

나드리 구두, 운동화, 간영양제 한 병을 꺼내놓고 운동 자주하고 약은 잊지 말고 꼭 드시라고 굼뜬 잔소리다. 늘 시답잖았는데 언제 불쑥 커버린 막내를 발견하고 눈시울이 풀린다. 이제껏 주방 한구석에 밥솥을 이고 섰던 제 아비 어릴 적 앉았던 식탁의자에 손녀를 앉히고 손 모아 저녁 감사기도 드린다. 모처럼 식탁이 분홍빛이다.

세 형제자매 중 몸집이 작으면서 고집이 세 사회적응을 어떻게 하나 염려했던 아이가 한 가정의 가장이 되었네. 아빠의 테니스 가방에서 천원을 훔쳐 빗자루로 죽을 만큼 종아리를 맞으면서도 잘못했다는 말을 않아 지 엄마 속을 달인 고집 센 아이가 아빠로 돌아왔네. 그 아이 천방지축 나대는 딸아이 밥그릇을 들고 엉덩이걸음으로 쫓아다니네. 숟가락에 밥을 퍼 제 자식을 어르는 막내의 등판과 어깨가 쌀가마니처럼 듬직하고 넓다.

봄비 개인날 아침

천둥, 밤새 그리 울던 것이
저리 새털보다 가벼운 꽃잎지는 소리던 걸
번개, 지축을 도끼질하던 울음이
저리 낭자하게 널브러진 꽃잎 속울음 소리던 걸

갈갈이 찢긴 바람을 붙잡고
신열에 들뜬 미친 봄 밤
그래도 먹빛 창에 동살은 기어들고
흩뿌린 피밭에 풋바심한 그리움 한자락
아리아드네의 문레는 아직 실을 잣는데
끊어진 실타래에 묶여 미궁을 헤메는 테세우스

봄비조차 원망할 수 없는 밤의 웅성임
나약해서 서러운 내 빈 실소를 외면하고
꽃 떨군 가지조차 버거운 어깨, 차마
울음마저 늘키지 못한 골목길 에돌아서
죽음조차 허락치 않는 바람으로
뭉그러진 제 허물을 밟고 간다

오늘은 어제보다 맑을 거라는 꽃자리
이슬 젖어 검은 포도에 묻혀버린 한숨
유체이탈의 꿈을 좇아 기다림조차 아직 먹먹한
무덤 속 칠흑의 관뚜껑을 열고 눕는다
무지개는 언제나 내 비루한 착시현상이었어
내일은 오늘보다 아름다울거라는
망나니 서슬퍼런 칼빛

삶의 무게

봄비 개인 날 아침

비에 젖은 뜰팡의 목단꽃 수선화

갓 세 이래 지난 내 손녀처럼

머리를 가누지 못해 목이 꺾인다

꽃도 저리 무거운 짐이었네 !

땀과 열매의 함수

무더운 여름철 농부는 풀과의 전쟁이다. 강아지풀, 도깨비풀, 크로바, 우슬초 ...... 텃밭이고 정원이고 매고 돌아서면 언제 맺냐며 비웃는다. 나는 너희를 잡초라 부르지 않겠다. 다만, 너희들이 나의 경계를 파괴한 것이다. 나는 내 영역을 지키는 책무에 충실할 뿐. 잡초들의 기세에 질식하는 양달맞이꽃, 솔채송화, 금낭화, 부용화가 가엾어 몇 움큼의 잡초를 뽑고 나니 금세 소나기 한줄금 지나간다

텃밭에 내려서니 아이들 여름휴가 때 따 먹으라고 애써 심은 수박이 달항아리 같은 얼굴을 내밀고 독한 햇살에 풀숲에서 붉은 속내를 내보인다. 여기 저기 황금빛으로 익어가던 참외도 썩어 단맛에 취한 온갖 벌레들만 잔치중이다. 염치 없이 손주들 생각하며 이 핼비 봄부터 정성들여 가꾼 녀석들인데 -

땀은 거짓말 하지 않는다지. "심는 대로 거두리라"하지 않던가 코로나 펜데믹에 오겠다는 아이들 손사래 치면서도 집 앞 지나는 차 소음에 불현 듯 들이닥친 것 같은 손주들 모습에 알고 속은 마음만 붉게 타 땀을 흘린다

겉과 속

감기기운에 늦게서야 여는 하루, 십 수 년 전 집을 지으면서 함께 들어와 살아가고 있는 세찬이 은동이 깜순이를 위해 몸을 추슬러 현관을 나서니 대문도 없는 사립 축대에 택배박스 하나 덩그렇게 놓여있다. 잡지 같은 것은 지나며 정원에 휙 던지고 가버려 며칠이 지나서야 화초 속에서 눈에 띄어 수거하기도 하는 집

박스를 뜯고보니 노란 비단보자기
보자기를 푸니 황금색 컬러로 인쇄된 지박스
지박스를 여니 스티로폼박스
스티로폼박스를 여니 아이스팩이 덮였고
아이스팩을 거둬내니 십 이·삼 센티 냉동조기 두 두름이
열 마리씩 비닐끈에 엮여 플라스틱 용기에 담겨 다시
투명한 랩에 포장되어 있다

어시장에서 일·이만 원 남짓할 조기가 수만 원짜리 포장 속에서 호강을 누리고 있다
고마움보다 배보다 배꼽이 몇 갑절 큰 비린내 나는 쓰레기 처분과 그럴싸한 사진만 보고 비싼 값을 치루고 보낸 지인에게 내가 도리어 미안한 마음이다

텔레비전 정오 뉴스는 어김없는 대선주자들 뻔뻔한 얼굴과 괴변이 나열되고 잠시 후에 쏘아올릴 우리 기술로 개발했다는 누리호의 직립한 사진이 도배질되고 있다.
내 생의 페르소나를 벗기고 나면 또 무엇이 나올까
어느새 날아든 파리 꼬이는 포장지들
처리 걱정이 태산이다

제IV부

삶과 죽음의 파도 - 흑과 백

옥룡사지 주춧돌에 앉아

초침의 날선 발톱이 할퀴고 간 자리
깨진 기왓장 봄 햇살에 뒤척이고
삭풍 몰래 핏빛 그리움 한 송이
툭! 손 놓아버린 동백꽃
이슬보다 맑은 눈물 골짜기 넘친다

소신공양 제 몸 태우는 향불 향그럽고
메아리진 목탁 시린 하늘 그득한데
목어는 저 혼자 바다로 떠났다
찢어진 법고는 산마루 넘다 혼절하고
깨진 범종 목침삼아 오수에 든 나그네
구름에 목 맨 바라만 묵언의 대지를 난다

산다는 것은 비워가는 연습이라고
비우지 못해 방울진 피로 계곡을 수놓은 너
아직 -, 성불하지 못한 사랑 한줌 남았다더냐
심술궂은 꽃샘바람 꽃잎 질근질근 씹던 날
선승의 발길 좇아 천년 동백숲 거니는데
알을 품던 동박새 묵점으로 사라진 하늘
꽃종 하나 발에 밟혀 숨죽여 울더라

* 옥룡사지 : 광양시 옥룡면 추산리 소재 절터. 신라 말 선승 도선국사가 심었다는 동백나무가 국내 최대의 군락을 이룬다.

어떤 죽음 앞에서

테라스가 새똥으로 얼룩져있습니다 사철 집 앞을 가로지르는 고압선 타고 목을 빼며 계절을 부르던 뻐꾸기가 웬일로 테라스를 덮은 얼기설기 얽힌 멍 덩굴에 앉아있습니다 무심코 빗자루 들어 내쫓고 물 뿌려 새똥을 씻어냅니다

맑은 아침 따순 커피잔을 들고 테라스에 나서 뜨락에 물든 상사화 멍 때리다 수상한 움직임에 뻐꾸기 앉았던 자리를 올려다봅니다 채 눈을 뜨지 못한 붉은 새끼새 한 마리가 기척에 입을 쩍쩍 벌리며 머리를 흔들어댑니다
뻐꾸기는 남의 둥지에 알을 낳고, 양육까지 떠맡기는 염치없는 새로 배웠습니다
그런 뻐꾸기가 엉성하게나마 집을 짓고 알을 낳아 부화한 것입니다

바닥에 박스펼쳐 오물을 받아내고 꽃구경도 삼갔습니다 며칠 후, 그 둥지(사실 둥지랄 것도 없지만) 때문에 대형사고가 났습니다 몇 가지 일상 빨래를 들고 조심스레 테라스에 나서니 새끼새가 떨어져 죽었고, 개미군단이 줄을 잇습니다 뜨락의 꽃들은 저리도 고운데 말입니다

금목서 아래 작은 몸짓을 묻고 묵직한 눈물 한방울로 덮습니다
미물이라도 생명은 아름답지요

제 나름의 우주이기 때문입니다
튼튼한 집 지을 줄 모르고
새끼 돌볼 줄 모르는 제 어미 원망할까요
불행한 아기 새의 운명을 탓할까요
어미 내쫓은 주인의 부주의를 후회해야하나요

거실에는 아비 잘 만나 약관에 부회장으로 경영수업에 뛰어들었다는 H그룹 뉴스가 흐릅니다
하늘이 내린 로또라는 재개발지구 아파트에 당첨되고도 계약금 준비로 애태우는 아들을 보며 -
자유를 부르짖는 홍콩, 미얀마의 젊음을 보며 -
아메리칸드림을 꿈꾸며 어린아이를 안고 수만리 질척이는 정글 돌아드는 남미 유랑민을 보며 -
탈레반의 폭거 앞에 이유도 모른 채 무참히 공개처형 되는 비운의 생명을 보며 -
숨 쉬는 나는, 아기새보다 가벼운 하루의 삶을 또 엽니다

꾸-꿍 꾸-꿍 꾸우~꿍
뒷등 밤나무 숲 어미새 울음이 참 공허합니다

산다는 것의 의미

창밖에 무화과잎이 축 늘어졌다
북태평양고기압과 티벳고기압의 압력에 밀려
보름이나 먼저 보따리 싸짊어졌다는
질척거리던 장마가 도리어 그리운 초복 날
오늘만 세 번째 냉수를 뒤집어 쓴
욕탕 거울 속 반백의 낯선 저 남자
달항아리 몸매가 봄날 못자리 올챙이다

누굴까 저 사람
번쩍거린 사오구경 권총바클 조여매고
찰랑거린 링소리로 삼각지 언덕길 깨우던
화사한 젊음하나 거울 뒤편에서 멋쩍게 웃는다

전화벨이 다시 화덕으로 불러낸다
무더위에 안부 묻는 며늘아기 전화
복날 친구들과 삼계탕이나 드시라고
아버님 통장에 몇 푼 입금시켜 놨다고
옥룡사 계곡의 청량한 물소리 욕실에 그득하다

그랬구나
내 봄날을 너희들과 바꾸었구나

소중한 생명 살라 너희를 샀었구나
허리띠위로 쳐진 뱃살이 좀 출렁이면 어떠냐
탄력을 잃은 팔다리 근육
무화과줄기처럼 말라가면 또 어떠냐
산다는 것이 마른꽃대궁 하나 남기는 일인 걸

세평 연못에 뿌리 묻은 연꽃잎이
하얀 쪽배에 한생을 나눠싣고 루비콘강 건너는 오후
노을빛 뒷꼭지에 올려 묶은
죽은깨투성이 하늘나리꽃 웃음이 참 고웁다

엄마의 가을

구절초 파랗게 질린 입술을 빨며
수 해 전 길 떠난 엄마를 찾아가는 길
그새, 바래버린 얼굴 사부랑사부랑
내가 보고자픈지 부르는 소리

그냥, 꼭이 가리라 나서지 않은 길
까닭모를 그리움에 손목을 잡혀
꼭이 부를 이름 없어 아무나 만나려고
어디라도 좋을, 무작정 떠나고 픈 몸짓

마른풀 무성한 오솔길 오르자니
파란하늘 눅진하게 속옷에 배이고
바닥없이 추락하는 목이 멘 눈물
납덩이보다 무거워 가슴에 품느니

투명한 가슴 열어 내보인 계절이
끝내 계란껍질처럼 저항 없이 주저앉으며
시나브로 내 작은 그리움 주워 담는다
엄마의 가을
그리움이 썩는 냄새가 이리도 향기로운 것을

홍시 그리고 가을

홍시를 두고 어느 대중가수
"울 엄마가 생각이 난다" 노래하더라
나도 눈물나게 우리 엄마 생각이 난다
핀치새보다 날카로운 부리로
땀 절은 젖가슴 콕콕 쪼아
찍고 까발겨 배불린 내 봄날
연홍빛 탐스런 모습 어디가고 세월에 바래
오뉴월 개불알처럼 늘어진 홍시 두 개

텃밭 감나무 농익은 계절 골라
까치 떼 진종일 찍고 떡을 쳐
이 꼴 저 꼴 보기 싫어
감나무 기어올라
익은 놈 설익은 놈 몽주리 따 내리는 나
깊은 하늘 우듬지
눈에 익은 홍시 두 개
못 본 척 놔두고 외면하며 내려온다

그냥 전화 했는데

풍년 송편이 보기 좋게 허공에 걸렸는데
나는 어둠을 틀어 샤워를 하고 돌아앉는다
우주를 삼킨 블랙홀하나 휑하니 길을 연 가슴
창백한 달빛 한줌으로 칭칭동여 결박한다

비틀거리는 구름 틈새로
하얀 매화꽃잎 하들하들 진다
꽃 진다고 매운 계절이 지겠냐마는
산그림자에 눌린 진동박새 울음에
내 비린 뇌수를 모두 쏟아버린다
빈 해골에 너를 가득 채운다
미안하다는 말도 너무 가벼워
이젠 누구 어깨에 기대어 지는 꽃잎 바라볼거나
아침을 깨우는 소란한 까치의 울음이 진들
호롱호롱 호달거린 호롱새 노래가 진단들
내 목소리 기억하는 이 또 남아 있을까

왕관도 무거워 세상 등지고 앉아
그냥 -
자네 이름 한번 불러보았어
바람결에 풍기는 뜨악한 여인네 분냄새

"어? 강**장로 전화 아닙니까?"

"네 맞는대요. 그런데……

그분 지금 하늘나라에 계셔서 바꿔드릴 수 없는데요!"

애써 태연한척 철벅이며 물 건너오는 목소리

젖은 솜뭉치처럼 무거워

이른 봄바람이 얼어붙은 나신을 핥고 간다

아무렴 -

이 또한 꽃 한 송이 지고 피는 일인 걸

※ 내 친구 강대근 장로의 부활을 기다리며 -

시월의 이별

이제 낡은 잠옷을 갈아입어야겠다

엷은 온기를 더듬어 침상에 오르니
관절통 앓는 침상이 비명을 씹는다
별찌'로 날아와 내 가슴에 안긴 푸른 눈의
마로니에인형 꼬옥 안고 너에게로 간다
서리진 밤 지새울 첫날밤 솜이불 속으로

알몸에 잠든 나를 내려다본다
온기 없는 내 뼈 세월에 앙상히 바래
어둠이 풍장을 치룬다
해체되는 흰 뼈들의 상처 간추리며
제 무게의 석관 뚜껑을 연다
눅진한 어둠에서 금목서 향기가 난다
멀리 섬진철교 건너는 초승달 지축이 떨고
오늘도 밤은 물비늘처럼 밀려오다 깨진다

눈꺼풀이 천지보다도 무거웁다
자정을 향한 나의 호흡은 가빠지고, 너를
지금 보내면 다시 볼 수 없을 것 같은 조바심이 용쓰지만
늘어진 내 육신이 너무 무겁다, 이제는

어둠을 돌아들어 까칠한 만남을 준비해야겠다
졸음은 까만 우주를 삼키고 커튼을 내린다
마른 목련꽃잎 떠나는 뒷모습이 아뜩하고
낭떠러지로 떨어지는 영혼은 깃털보다 가볍다
뒷재 넘는 요령소리가 차츰 가녈어진다

1. 별찌 = 별똥별

세월강 기슭에서

열돔에 갇힌 칠월이 떠납니다
팔월도 덩달아 문을 열었습니다
조명은 쉬임 없이 명멸하고
배우는 진땀을 흘리며 빈 무대에 무연히 섰는데
그와는 상관없이 무대가 바뀝니다
지금 배우가 할 일은 그냥 지켜보는 일뿐

장마철 흙탕물에 휩쓸린 고목처럼
발버둥쳐도 하릴없이 떠내리는 황소처럼
세월의 물결에 떠밀리우는 배우는
각본과는 무관한 부유물이지요

어제의 초승달이 오늘은 그믐달로 집니다
아침의 젊은 태양이 저녁에는 지친 핏빛입니다
나는 순간을 톱질해 토막칩니다
뿌리 뽑힌 고목으로 물길에 누워
도도한 흐름을 무질러볼까도 생각했습니다
그때마다 강물은 강기슭에 지푸라기 같은 삶을 밀어붙이고
제 갈길 수이 갑니다

조급한 마음이 사체로 떠내려도

부질없는 허우적임은 멈추지 못합니다
머리를 곧추세우고 죽을힘 다해
바둥거리며 급류를 헤쳐봅니다
누가 압니까?
운이 좋으면 모래톱에 얹혀 사나흘 후라도
생을 건져 흙탕물 툴툴 털며 집으로 돌아갔다던
섬진강 황소도
낙동강 황소도 있었다니 말입니다

과메기 풍장風葬

들보를 들어내고 죽간竹簡을 펼쳐
물길을 낸 기록들 몽땅 지우고 빈
허물하나 털어 수평선에 떨쳐넌다
선달 드센 해풍에 너덜한 육신
자박자박 저며 소주잔에 헹궈가며
살얼음진 살점 씹는 자갈의 셈법

선홍빛 시간들 핏떡처럼 말라가는
마른풀 무성진 언덕에는 아직
어제를 움켜쥔 짙푸른 꿈들이
진땀으로 멱을 감는 밤, 밤들......
어둠 한 점 피데기살갗을 구르다
게껍질보다 단단한 제 기억 보듬고
수평선 끊어 열두 줄 기러기발에 걸었다

비린내에 취한 파도 미친개처럼
검은 바다 물고 컹컹 짖다 돌아서고
죽음을 기억하는 변신에 시간은 메말라
제 몸 만장으로 내걸고 나부끼는 저 행렬 -

혼밥 II

텃밭 상치 한 줌 뜯어다
서산마루 목이 잘린 하루를 이별한다
유월햇살 살진 상치잎 펼쳐
밥 한술에 쌈장 찍어 올리고
너 한 볼때기, 나 한 볼때기
주방에 걸린 거울이 돌아앉아 웃는다

밥 한 그릇 한 쌈 한 쌈 쌈으로 비우고
빈 공기 씻어 살강에 엎는다
왜 사는지 묻는 것조차 잊고 나댄
하루라는 게 기껏해야 저녁나절
지 혼자 먹은 밥그릇 하나 씻어 엎는 일이구나
살강 위에 지은 또 하나 흰 묘봉

외로움 그 질긴 본질에 대하여

연휴로 지친 세밑의 늦은 오후, 냉기 자욱한 주방을 서성이며 그제서야 점저를 해결할 방법을 찾고 있습니다. 쿠쿠는 언제 밥을 해봤는지 기억조차 놓아버려, 식탁에 뒹구는 빵을 들었다 놓습니다. 노란 양은냄비에 라면 끓일 물을 올립니다. 그조차 귀찮아 불을 끕니다. 뜨거운 된장국에 하얀 김이 피오르는 밥이 먹고 싶습니다.

게으름을 밀쳐두고 일반미에 현미 한줌, 찹쌀 한줌 섞어 밥을 안치고, 뎁히면 선자리에서 밥 한술 말아 훌훌 끼니를 때울 수 있는 미역된장국나 끓이려 찾다보니 수년 전 보길도 원림주차장 좌판할머니에게서 산 색 바랜 모자반이 흰 간꽃을 피우고 있습니다. 그랬지요, 울 엄마는 내가 한겨울 목선을 젓고나가 채취해 싸리울타리에 널어둔 모자반 한줌이면 몇 순갈의 멸젓과 된장만으로도 겨우내 시원한 몰갱국을 끓여내셨습니다.

갓 지은 밥에 굴을 넣고 새우젓으로 간을 맞춘 몰갱국에 엄마의 향취가 향긋합니다. 어둠이 서서히 커튼을 내리는 창밖에 눈길을 널어두고 바쁠 것 없는 식사를 끝내고 밥그릇 씻어 살강에 엎습니다. 덜렁 살강에 올라앉은 하얀 묘봉이 짙은 배고픔보다 서럽습니다. 싱크대 밑 어둠에 덮어버린 밥공기를 씻어 곁에 나란히 엎었습니다. 침묵이 눈을 뜹니다. 살강의 얼어붙은 겨울에 봄이 내립니다.

제주도 검은 돌담으로 누워

돌이 돌을 이고 늘어선 돌담
외줄 쌓기가 너무 엉성해서
저리 구멍이 숭숭 뚫려서
새끼손가락으로 까딱만 해도
와르륵 금세 무너질 것만 같은데

수백 년 그 자리 지켜왔다네
천만 번 미친바람 견뎌냈다네

바람이 바람으로 바람을 걸러내고
비 오면 젖은 몸 그 비 품어내
정방으로 누워 쓴 세월을 기워내린
흑룡천리 흑룡만리[1]

때로는 가슴에 숭숭 구멍을 뚫어
하늘 한 줌 구름 한 가닥 깃들여 놓고
맵고도 시린 바람 품어내었으리
짜디짠 햇살 견뎌내었으리

엉성한 듯 수더분한 듯
자리젓처럼 떼 지어 세월을 곰삭히며

상처마다 돌이끼 같은 푸른 생명
어우렁 더우렁 키우며 살았으리
이승저승 숨비소리 엮어가며 살았으리

1. 흑룡만리 - 송수권 시집 『흑룡만리』에서 빌려 옴

바이욘사원에서 II - 나의 미소

작열하는 적도의 햇살이 넘보지 못하는
어김없이 파고드는 열대우 침범을 불허하는
어둠만이 홀로 존재하던 정글 거기
천년 나의 영혼은 잠들어 있습니다

밀려들었다 밀려나는 인파에 비추이는
판화에 찍힌 내 모습은 오직 하나
시간 저편 어느 석공 숨결배인 얼굴
오늘 비로소 나는 나의 미소를 찾았습니다

이백열여섯[1] 나름 머금은 미소
그것은 바람으로 압화 된 꽃들의 허물
온기 밴 영혼의 웃음은 아니랍니다
그대 내게 다가오시기까지는 -

찾아오는 이 없어서가 아닙니다
서로를 탐닉하는 사랑 도탑지 못해서도 아니지요
사랑해도 사랑받지 못한 까닭입니다
사랑받아도 사랑하지 못한 까닭입니다
그대만이 내게 온전한 사랑이기 때문입니다

사랑하는 자만이 사랑할 수 있음을
오늘 여기 당신과의 만남에서 배웁니다
사랑이 사랑이 아니며 미소가 미소는 아닙니다
수많은 꽃 중에 당신이라 부르는 꽃 한 송이
한 번도 사랑한 적 없는 그런 사랑처럼

1. 이백열여섯 : 앙코르 톰(거대한 도시)의 중앙에 위치한 바이욘사원에는 당시의 지역을 상징하는 54개의 탑이 있었고, 탑마다 미소를 머금은 4개의 얼굴상이 부조되어 있었다. 그러나 현재는 37개의 탑만이 남아있어 복원 중이다.

그림자 미학美學

갈 곳은 없지만 순간도 지체할 순 없어
너를 향해 선 나는 말없이 옷을 벗는다
내 안에서 나는 퇴화된 허물로 걸렸고
너의 모습은 바람의 남루로 흔들려
그렇게 나는 너만을 바라보고 바래간다
내 안에서 나는 내가 아닌 하나뿐인 너
너는 내 안에 둥지를 튼 우주의 블랙홀
말씀은 바람을 그의 렌착[1]으로 창조하시고

흔들리는 젖니 뽑듯 꽃잎 뜯는 덩굴장미
언 가슴 바늘로 찔러 달궈진 길바닥에
제 생리혈 즐편하게 쏟아내는 유월 한낮
그 길, 영혼을 잃은 바람이 짓밟고 지나고 -
그리고, 달라진 것은 아무것도 없었다
침묵은 무의식의 아득한 도랑을 흐르고, 그 뿌리
수화로 제 이름을 쓰는 어눌한 이국의 목소리
피할 수 없는 화살 심장을 관통하면, 그리
덤으로 남은 시간은 초리 끝에 흰 깃발로 내걸리고

오늘도 나의 굳어버린 목은 돌아볼 수조차 없어
작두날에 아스팔트 가르는 마찰음 남기며

또다시 멱살 잡혀 끌려가는 그림자

거부할수록 은빛 수갑은 손목을 파고든다

어스름에 쫓기듯, 바삐 찢어진 그물을 깁는 왕거미

욕망은 거울에 담긴 자화상의 허물

흔들리는 빈 그물에 가득 담긴 샛바람이

일탈을 꿈꾸다 유리벽 속을 서성이는 시간

늘어지는 제 그림자 말아들고 돌아서며

오롯이 저 혼자 익어가는 흰 그림자

1. 렌착 karmicdebt - 티벳어로 전생에 진 빚. 올빼미를 위해 이유 없이 물고기를 물어나르는 수달의 아야기에서 비롯된 용어.

다문화의 시작

광양 오일장 강아지 한 마리

오천 원에 팔려

포장지 끈에 묶여서

꼬들베기 팔고 돌아가는 할머니 손에 끌려간다

박스에 남은 형제들 돌아보며 네발 버텨보지만

삶을 결박한 목줄은 엔탈로스의 사슬

그에게 운명을 선택할 권리는 없었다

늦은 오월의 커피 한 잔

한 페이지의 책장을 읽어 넘기듯
하루를 읽어내리고 덮습니다

책꽂이 성경을 찾아 먼지를 불어내듯
한 주간을 털어냈습니다

모아둔 고지서를 정리해 납부하듯
한 달을 닫습니다

덩굴장미 바람 없이 꽃잎을 떨구듯
그렇게 또 한 계절이 집니다

늦은 오월 꽃그늘에서 붉은 꽃잎 줍다, 문득
혼자 왜 여기 서 있는지 뜨악해
누구를 그리워하는지조차 잊어버린 기다림
모락모락 오르는 뜨거움 불어가며
기다리는 기다림 한잔 마시고 있습니다

제Ⅴ부

치유하는 섬

꽃보다 무거운 사랑 앞에

한 송이 꽃을 피우는 일은
길고도 긴 침묵인 것입니다
계절을 헤는 폭우에 요동치 않고
바람의 귀엣말에 흔들리지 않는
그런 산능선을 닮은 침묵인 것입니다

한 송이 꽃을 피운다는 것은
손톱 밑에 가시를 박는 아픔인 것입니다
눈비 찬바람 견디어 서서
짓밟혀도 일어서는 길섶 질경이 같은
그런, 살을 저미는 아픔인 것입니다

한 송이 꽃을 피운다는 것은
억겁이 하찮은 여정인 것입니다
적막한 심해에 시간을 가두고
만남과 이별을 개의치 않으며
별 하나를 향해 걷는 여정인 것입니다

사랑한다는 것은
꽃 한 송이 피우는 일보다
무거운 것입니다

버리기 연습

장맛비 사나흘 계속 되더니
싱그럽던 텃밭 근대 드러누웠다
고춧대는 가지가 찢기고
걷저리 안성맞춤인 열무 얼갈이배추
흐물흐물 녹아내린다
"삼일 장마에 냄새 안 난 손님도 없다"더라

텃밭언저리 대봉감나무 한그루
뼈 시린 겨울잠에서 깨어나
제살 깎아 꽃 피워 살뜰히 맺은 감똘개
제 발 아래 어지러이 흩뿌리며
장맛비에 젖어 처연히 떨고 섰다
어느 놈 떨궈내고
어떤 녀석 끌어안으랴, 그래도
투둑, 투두둑! 바람도 없는데
제살보다 아픈 자식들 털어낸다
장마를
그 뒤에 오는 가뭄을 넘어
뙤약볕 이고지고 영근 자식 기르려
제 힘 맞춰 피붙이 자식 돌려세운다
서릿발 심장으로 잘라내고 있다

장마통 진창 물고 치며
보릿고개 가뭄 풀대죽 쑤며
칠남매 기르다 쉰 줄에
밥물로 연명하던 핏덩이 막내 돌려세우던
내 어머니 그랬다
“열손가락 깨물어
어디 안 아픈 손가락 있간디야!”

엄마의 김장 날

눈뜨면 수평선에 엷은 햇살 널리던 날
앞섶에 썰물지면
텃밭 배추 뽑아 발대에 짊어지고 바닷가로 나갔지요
넙더리 웅덩이 찾아 배추를 부려두고
앙탈하는 녀석들 갯돌들어 눌러놓고
게 잡고 고동 줍노라면 어느새 밀물이 집니다
푸-욱 기죽은 녀석들 챙겨 돌아오는 길
가파른 해구 올라
잔등 적셔드는 간물도 아랑곳없이
보리밭길 걷는 언 발은 구름 위를 내달았지요
언감생심 기름진 수육 쌈 구경도 못했지만
양념 겉저리에 무쇠솥 반섞이밥 양푼에 비빈
이웃집 아낙들 멸젓보다 진한 웃음꽃 잦아들면
거뭇거뭇 늘어붙은 비닐장판 아랫목에
허리를 붙이고 지지시던 내 어머니 비명소리
"휴~!
김장이 반 농산디
가실 해 놨고
김장해 놨씅께 인자
쌩때 같은 내 새끼들 엄동에 배곯일 일은 없것제?"

그늘과 사랑

익송정 뜨락에 국화의 계절이 왔다
이른 봄 새싹 솎고, 여름날 무참히 전지 해
수많은 꽃들이 피고 진 빈자리
크고 작은 국화꽃이 피기 시작한다
빨 주 노 초 파 남 보
스산해진 뜨락에 무지개꽃다리
가을볕에 이쁘게도 지어 놓았다

한여름 비파나무 향나무 그늘에서
폭염 폭우 피해가며 수이 산 녀석들
이제서야 서둘러 꽃눈을 머금는다
겪어낸 고통만큼 꽃망울 맺는다
무서리지면 만개 못할 꽃을 피워 올린다

마주보는 시간만큼 아름답다
아픈 만큼 행복하다
고통을 이겨낸 만큼만 향기롭다
그래서 세상이 공평하고
그러므로 세상은 살만한 것이다

당신을 바라보며 꽃피우는
내 사랑이 그렇다

정월 초사흗날 아침

매일이 이런 쓰나미어도 좋으련
그릇그릇 넘쳐나는 잔반들
음식물쓰레기 처리하듯
늦은아침 혼밥으로 해결하고
석 삼동 얼지 않는 창에 기대어
겨울비 치덕이는 뜨락을 응시한다

소식 까마득한 홍매아래 꽃무릇잎 더 푸르고
철없는 수선 상사화떡잎 합장하며 걸어나온다
빗소리를 삼킨 소란스런 상념들
규칙적으로 꺼덕이며 시야를 훔치는
어디쯤 검은 고속도로 서성거린다

그리움이란 늘 이리
북소리처럼 가슴을 먼저 울리던 것을
그 북소리 그친 낙랑국 궁궐엔
시체를 쪼는 까마귀 울음소리 그득하던 걸
그래도 오른손에 비수를 움켜쥔 나는
자명고루 기어들어 어둠을 훔친다
미련한 배반을 몰라서이랴, 그저
그 건너에 너의 이름이 있기 때문이다

솜털 보소소한 적목련 꿈주머니에
해맑은 웃음이 깨알처럼 묻어난다
그 미소 보고싶어 안으로 창을 연다
테라칸사막의 열풍이 밀려왔다 밀려난다
온기 없는 열기구로 추락하는 기억은 메마르다

탁자에 목 맨 전화기는 신음을 삼킨지 오래
먹다 남은 과일 흩어진 한과는 이제 내 몫이려니
짝을 잃은 실내화는 제 짝 찾아 신발장에 챙겨넣고
의미를 잃은 선물꾸러미 포장지들 곱게 접어
다용도실 선반에 채곡채곡 쌓는다

그 폐지더미에
벌써 푸른 떡잎이 돋는다
내게는 또 다른 쓰나미를 기다리는
기인 기다림의 새싹들 다시 움돋기 시작하고

이 사랑 이 아픔 얼마를 더하랴

누가 바람을 붙잡아 하늘을 결박했다더냐
누가 품을 알 수 없는 바다를 쪼개었다더냐
보이지 않는 금줄에 발이 묶인 나만이 망연하다

지구별에 마지막 남은 이천칠백 마리 검은부리저어새
그들의 원초적 본능은 장마 전 서둘러
남쪽 구지도에 둥지를 틀고, NLL 넘어
십릿길 황해도, 평안도 찰진 갯벌밭 넘나들며 새끼를 치는 거라지
그 새끼들 태어나 처음 본 성체, 처음 듣는 울음소리
기억하여 제 어미아비로 따른다지

혓바늘 일어 꽁보리밥을 넘기지 못한 자식에게
"밥죽에 돌이 백혔는갑다"
무쇠솥 강냉이풋대죽 휘휘 젓던 검은 나무주걱
가장자리 무쇠칼로 득득 긁어 박힌 돌 찾던 어머니
그 주걱 닮은 주둥이로 남 북의 갯벌 휘저으며
흰 날개 유려히 지 맘대로 금줄 넘어 오간다
저어새로 날개를 펼치고 싶은 날

깨금발로 건너뛸 수 있을 것 같은 저 뭍이
너무도 멀어서 눈에만 담고 돌아선다

오천년, 내 커넥톰[1] 깊숙이 각인된
땅과 하늘, 초목에 이는 바람소리 -

이 사랑 이 아픔
여기서 또 얼마를 더해야할거나

1. 커넥톰connectome - 뇌신경 세포의 연결을 종합적으로 표현한 뇌지도

제주도 영실계곡 오백나한상에게

슬퍼하지 마라, 후회도 마라
너희들이 허겁지겁 배불리 먹은 곰죽은
이 어미 실수가 아니었느니
사냥을 위해 한라오름 오르내린
배고픈 자식들에게 해 주어야 할
세상 어미들 당연한 일이요
내가 너희에게 해줄 수 있었던
이 어미의 가장 작은 사랑이었느니

울지 마라, 괴로워하지도 마라
제 심장 쪼아 흘린 피로
굶주린 자식들 먹여 살린 미물도 있거늘[1]
제 한 몸 자식들 식탁에 내어주고도
더 줄 것이 없어 가슴시린 것이
세상 어미들 한결같은 사랑일지니
이리 백록담 돌베개 베고 누워
굶주린 오백 자식에게 젖가슴 내맡기고
목구멍 넘기는 내 살점소리 듣는 일
이보다 아름다운 행복은 없었느니

1. 어미 사다새(pelican)는 먹이가 없으면 자신의 심장을 쪼아 피를 흘려 굶주린 새끼를 살려낸다고 한다.

치사한 게 정情이라고

가뭄에 콩 나듯 툭툭 카톡이나 던지던 친구
몇 십 년 만에 벼르고 별러 전화했다네
족쇄를 부수고 딸, 손자 데리고 여인네 넷
동가숙서가식 남도로 여행이나 가야겠다고 -

지금은 요양원에 계신 친구 엄마
바닷가 빈집 한 채 빌어 쉴 만큼 푹 쉬었다 가라했네

어제만도 집 앞이 바로 바다냐고 다짐받던 친구
오늘 아침 중천에 해가 펄펄 끓는데도 아직 출발한다는 소식이 없네
머물 곳을 한번 더 확인하고 시방 어디만큼 오고 있냐 물었지

"그랑께 ......
짐은 싸 놨는디 나설까말까 망설거리고 있네
날이 해도해도 애징간히 더와야제!"

짜-슥! 멜짱한 날씨 핑계는?
밉네 곱네 해싸도 올 같은 삼복 더우에
혼자 밥 끓여 묵을 삼식이 가슴에 얹혀
올해도 못 떨치고 나선 뻔한 네 그 심사

그대가 그것[1]

창틈으로 스며든 덩굴장미 향기
우주에 가득 차 별들 질식하고, 나는
지각을 뚫고 샘솟는 용암 한줄기에 쫓겨
마시던 찻잔 들고 초닷새 달빛 초롬한
뜨락으로 나섰다

수련도 입 꼭 다문 연못, 꿀떡보다 달다는 봄잠 놓친
비단잉어 달빛독백 유리창에 안개꽃처럼 어리고
우전차향 어루던 찻잔에 달그림자 그득하다
그림자의 발에 짓밟힌 대지는 객혈을 해대고

상처 난 달빛 쓸어모아 보름달을 띄운다
너무 멀던 네가 오늘 처음 내게로 왔다
하얀 박하향내가 난다
너는 그렇게 처음부터 내 곁에 있었지
달빛은 대지에 흘러넘치지만 눈을 감은 나
어둠을 핑계로 너를 붙잡지 않았지

고개들면 가슴 가득 네 모습 피오르는데
흩어진 파편들 주우려 스쳐간 그늘의 시간
그 달빛에 나는 왜 너를 외면했을까

지워지지 않은 기억은 주홍글씨로 새기자
어둠을 밟고 더디 오는 유성을 기다린다
달이 떠난 뜨락에 장미향보다 짙은 그대 사랑

1. 헉슬리의 《영원의 철학》에서 빌어온 말. 범아일여(梵我一如)의 의미.

새삼 당신이었음을

처마 끝 물받이 아래 둥지를 틀고
아침이면 내 단잠 깨우던 참새 한 쌍
유리창의 마술에 머리가 깨져
테라스에 싸늘한 사체를 뉘었다

죽음 곁을 맴돌며 울음을 쪼던 한 마리
개미 떼 몰려든 동무의 허물을 치우자
포로록 -
금목서향기 짙은 구름발치로 사라지네

조그만 잔등에 얹힌 하얀 슬픔이
하늘은 파랗게 멍이 들고
날아간 서녘에 노란 금목서꽃 한태기 툭! 진다
대지는 잠시 원형의 침묵에 빨려들고

그랬었네
내가 비익조의 날개로 태양을 향해
높푸른 창공을 가르던 비행은
당연한 -
너무나 당연해서 존재조차 알지 못했던
새삼 당신이었음을

그녀의 마지막 편지

옆으로 게걸음치던 건들장마 물러나고
온실에 갇힌 삼복 태양이
개혓바닥 빼물고 중천을 뭉기적이는 한낮
언제부터의 기다림인지도 모를 흰구름 한 점
붉은 우편함에서 꺼내어 펼쳐든다
마지막까지 누구에겐가 기억되는 존재임이
깡마른 세상에서 얼마나 행복한 일인가

제 손으로 쓰지 못한 편지를 읽고
그동안 잊고 살았던 얼굴하나 떠 올려
탈색된 이야기에 물꼬를 친다
칠월 푸른 포도나무그늘의 상그러움
물을 박차고 내뱉는 숨비소리들
볕 찬 항아리에서 멸치젓처럼 녹아내려
스스로 앙상한 뼈를 추려내던 사랑
그것들
인화할 수 없는 환상의 여백에 담아두고
지금 이승에 그녀는 없다네

그녀의 마지막 흔적에
계좌이체 불러들여 봉투도 없는 몇 푼

눈물 입금하고 이별의 엔터키를 친다
가슴은 아스팔트처럼 눅진거리는데
기억은 벌써 그녀를 화장하고
헐거워진 주소록에 주소하나 또 지운다

고목 앞에서

너도 그랬니?

나도 그랬어!

사랑이 떠나간 후

내 빈 품에 그림자 지고

발등을 밟고 가는 세월을 쫓아

속으로 속으로만

썩어 문드러져가는 가슴

제주 영실계곡에서 -

사랑에 고함

네가 나를 버리고
가장 가까운 어느 행성에 도달할 때쯤
나의 흔적은 이미 이 별에서 지워지고 없겠지
그러나 너는 그 별에 뿌리를 내리고
푸르게 잎을 피우거라
붉디붉게 꽃을 피우거라

내 하늘이 좁아
내 영혼의 그늘이 너무 작아
뿌리 내리지 못하는 사랑아
잠들지 못한 사랑아
뜬눈으로 한밤을 꿰매다
질식할 줄 모르는 너에게 나는
봄눈송이 같은 이별을 고하련다

오늘 수명을 다해 스러진
뭇 적색 별 중 하나일지라도
뿌리도 없은 빛으로 날고 날아
너의 꽃에 고단한 날개를 접고
나, 깨지 않는 깊은 잠에 빠져들 것이니

분꽃의 불륜

해질녘이면 찾아왔지

까만 씨 빻아 분단장하고

꽃나팔 불던 단발머리 가시내

행성을 따라 홀로 떠돌다

잠 못 이뤄 뒤채는 이 밤이

열대하 때문이라고 철없이 우기는

저녁노을처럼 물드는 풀꽃 사랑

네가 있어 기대어 설 수 있음에

는개비 뽀이얀 봄날 읍내 단골 종묘상, 고추 가지 상치 오이 수박 참외 모종 챙기고, 얼갈이배추 열무 당근 비트씨앗 골라놓고, 여름휴가철 찾아들 손주 생각에 속웃음 베어물며 튼실한 찰옥수수 모종 한 판 샀다 모판을 종이상자에 챙겨 묶던 종묘상 주인 혼잣말처럼
"옥수수는 심글 때 꼭 두 개씩 심는 거여 그래야 즈그끼리 뿌랑구가 얽혀짐시롱 태풍에도 안 자빠지는 법잉께!"

그랬다 잎이 넓고 키가 큰 이놈들은 해마다 웬만한 바람만 불어도 쓰러져 지줏대 세워 얽어묶고 뿌리를 밟아줘야 했다 올해는 짝을 지어 두 포기씩 모아심기를 했다 이놈들이 자라면서 두 뿌리가 깍지끼듯 서로 얽히고 설켜 튼실하게 자라 도깨비방망이 같은 열매를 보듬고 섰다

대들보에 매달려 겨우내 참새 눈치보던 꼬투리 내려
밭가장자리 돌며 호미로 득득긁어 강냉이 씨 심던 내 어머니
"세 개씩 심거라
한 개는 새가 묵고
한 개는 두더지가 묵고
나머지 한 개를 내가 묶는 법잉께!"

나를 버려서 너를 얻는 것이다
너를 위해 비워둔 그늘이 내가 누울 자리다
네가 있어 비바람이 무섭지 않아 고맙다
그대가 있어 밤이 서럽지 않아 다행이다
당신으로 기대어 설 수 있어 아름다운 세상

제VI부

흐르는 섬

그늘의 그림자 - 화성행궁에서

언제부터 저리 구름을 재단하고 있었을까
눈먼 손끝의 시간들 가위질하고 있었을까
침묵에 잠들었다 실바람에 날개를 터는 깃발
쓰러진 그늘 다시 일으켜 세우고 있다

기폭에 숨어 수런대는 그림자 깔고 앉은 길고양이
제 헌 데를 핥다
생채기 틈새로 엷은 웃음 한 점 뜯어낸다
서러운 웃음들 봉수당 뒤란을 서성이고
별똥별이 긋고 간 자해自害의 함성들
바늘이 되어 맨살에 문신을 새긴다 그래서 너는
눈물을 먼저 배워 뿌리를 내렸다던가

멈춰 선 유성이 회색빛 저주를 마신다
목줄기 타고 내린 붉은 통점痛點들
뒤주에 갇힌 손톱에 피멍으로 남고
그 울음 또 다른 우주에서 별꽃으로 피어난다
꽃에 밝힌 그림자하나 서장대를 오른다
어둠이 빛으로 돋고 그 빛 어둠에 갇히던 날
신풍루 고목은 제 그림자 말없이 가슴에 묻고

괜찮아

"까똑!!"
"오늘도 최고의 날!"
내가 보낸 새해 첫날 인사에
이제사 뒷북치는 친구의 멋쩍은 아침인사

괜찮아! 카톡이 부하가 걸려 늦었을 거야
나도 너에게 신년인사 끼워보냈다는 사실 하얗게 잊고 있었어
잠을 설쳐 수 십리 달려가 맞은 임인년 첫 태양도
오늘 아침 해와 하나도 다르지 않았어
시간이 똑같은 자판 위를 쉬임없이 달려도 제자리이듯
오늘도 나는 판에 박힌 내 삶의 자판 위를 걷고 있어
뭐가 최고이고 불행한 것은 또 뭐지?
우리는 그런 무관심과 무변화에 익숙해 있잖아

"괜찮아!"
괜찮다는 말은 썩 좋을 것도 굳이 나쁠 것도 없다는
말 그대로 그냥 상관없다는 말이잖아
그래서 나는 너의 하루가 괜찮은 것이었음 해
그래도 나는 그렇게 쓰지 못한다 -
"너도 오늘이 최고로 멋진 날이기를 바래!"

"까똑!!"

수국 수국수국수 국수

혈떡이던 뭉게구름은 추진력을 잃었다
장마도 주춤거린 유월의 중하순
제주 종달리 길섶이 하수상하다
저승에서 벌어 이승에서 쓴다는
물질 떠난 제주잠녀 젯밥이련가
엊그제 길 떠난 상제 상여꽃이련가
멥쌀밥 조밥 수수밥 보리밥
고봉으로 담긴 밥그릇 먹음직도 하다

수국 수국수국수 국수 ……
꾸꿍새 울음소리 구성지고 청보리밭
햇살 누렇게 녹아내린 배고픈 하지
긴긴 해 소 몰아가는 까까머리 목동
밀 보리 서리에 입술은 숯덩이다

읍내장터 국수공장 자투리국수 저울에 달아 와
무쇠솥에 콩대 불지펴 삶고, 선 자리에서
막 길어온 샘물에 삭카린 타 후루룩 나눠마시고
긴긴 오뉴월 목탄 서숙밭 김매는 엄마 기다리는
밭머리에서 꼬박꼬박 조는 아이 뱃속에서도
수국 수국수국수 국수 ……
보릿고개 유월 맹물국수 풍년이다

익송정 두 개의 봄

달력 숫자 꼽다말고 설날이라고
또 하나 나이테 뼈에 새기는데
겨우내 부릅뜬 눈 초침 좇아 돌던
매화가 참지 못해 흰웃음 터트린다

서릿발 딛고 까치발로 지켜 서서
남풍 기다리던 푸른 꽃무릇잎새 지쳐 눕고
눈치 보던 상사화 여린 손 합장하고 걸어 나오는데
개구리 얼음장 밑에서 봄을 낳는다

뼈에 박힌 나이테 옹이로 자리 틀고
오지 않을 그리움은 내일 또 오겠지만
부질없이 멀기만 한 너 없는 이 봄
익송정엔 홍매꽃잎 여우비에 흩날리고

봄이 떠나는 까닭

환한 앵두꽃이 봄을 이고 온다
노란 개나리 웃음에 자박자박 봄이 간다
포근한 햇살이 낯간지러워
수선화 까르르 샛노랗게 웃는다
길어진 해에 지루해진 봄이
떨어진 동백꽃 보듬고 뒹군다
아지랑이가 써놓고 간 잊혀진 기억하나
눈시울에서 툭! 진다

상사화에게 고함 II

새벽이슬 떨치고 선 해맑은 미소
오뉴월 짧은 밤 나신裸身으로 새우고
기다림의 끝은 만남이 아니라
더 기인 기다림이라는 것을
중정머리 없는 나는 오늘 아침에야
너에게서 수화로 읽어 내린다

사랑 그 페르소나

처음엔 다 그렇다더라
사랑은 아름답다고
사랑은 자기를 전부 주는 거라고
주는 것만으로도 행복한 것이라고
그래서 '사랑하였으므로 행복하였노라'고 -

그런데도 왜 맨날 세상은
연인들의 눈물로 홍수질까
아마도 그건 사라세니아꽃이[1] 생을 유혹하는
이기적인 사랑의 미소 때문일 거야

사랑도 다이소에 무더기로 쌓인 값싼 상품
무게중심에서 눈꼽만큼만 멀어져도
저울대는 금방 곤두박질치고 말지
투명한 어둠에 네 언 손을 담궈 봐
네 영혼이 무얼 말하는지 귀 기우려봐
붉은 네 육체는 무엇을 원하는지 -

아침부터 뜨락의 연못에 홍등이 내걸렸다, 수련꽃
다투어 수면위로 화장한 얼굴 디밀며 소란스럽다
마파람이 힘겹게 분내음 싣고 첨산을 넘는다

나는 오늘 사랑을 위해 보희의 꿈을 산다[2]

몸을 불질러 재가 되고 싶은 영혼의 환타지

1. 사라세니아(퍼포리아) - 식충식물로 꽃이 예뻐 관상용으로 재배한다
2. 신라 김유신의 여동생 보희(언니)와 문희(동생) 고사 인용

삼복, 타는 노을에 지다

하루가 프라이펜에서 뜨겁게 구워진다
도시의 사막에는 마지막 열기가 붉게 끓고
하루살이는 내일의 성찬을 준비하느라 바쁘다
어둠의 집을 짓는 연기는 마당을 낮게 기고
허공을 곁노질하는 고추잠자리
식어가는 돌담에서 낮달을 굽는다

공동묘지에는 길을 밝히는 별이 눈 뜨고
참나리꽃의 죽은깨 노을보다 짙어지면
전선 위 멧비둘기 한 쌍
흐트러진 깃털 빗어 잉걸불에 태운다
갈 길 바쁜 바람은 중천을 가로질러
스스로의 등에 채찍을 내리며
내일을 예매하고 잠자리에 들 것이다

힘들었던 만큼 잠은 더 달고 깊어
어디, 고단하지 않은 여정도 있었으랴
왜 뛰어야하는 줄도 모르고
숭어 때처럼 무리지어 회유하며
진종일 서산마루를 향해 질주했었다

길은 언제나 제자리를 맴도는 외길이었어
하루살이의 영혼이 꿈꾸는 화려한 내일
타고 타도 되살아나는 산불을 지피다
삼복의 냄비에 또 다시 별을 볶는
아!
황홀한 사막의 바비큐파티

칠월, 수락폭포

신록에 번들거리는 땀방울
바람이 흔들어 털어내고 있다
계곡을 밀어내고 폭포 앞에 섰다
천년 시간 한 올 한 올 물레로 잣어
한필 흰 옥양목에 훌훌 떨쳐 널고
그 그늘에서 숨죽이는 원추리꽃
제비꼬리호랑나비 한 쌍
물안개에 젖은 바람을 희롱하며
흘러가는 시간들 훔쳐보고 있다

피라미 한 마리 도시를 건너
물길을 돌이키려 황금벽돌 쌓는다
제 몸 그 사슬에 묶일 줄도 모르고
서늘한 한기가 이마에 서린다
하늘을 짊어진 소나무 속울음
내 어깨에 부서져 바윗돌을 깎고
길을 잃은 낮달의 날숨에 짓물린 신음소리
천둥 함께 울지만 도시의 십자가는 알아듣지 못한다
물에 뛰어드는 벗은 아이의 해맑은 웃음
멈출 수 없는 폭포 거슬러
지리산 넘는 초하의 오후

어떤 기억 앞에

오월의 투명한 날
구름에 묻힌 선작지왓 털진달레밭
가슴 은밀한 침샘에서 솟는
화인으로 밝힌 눈물 한 자락
오늘은 작별하려 찾아들었네
너만 여기 남아 피고 지는 꽃잎 따 먹으며
뜨고 지는 해 얼마나 손꼽다 떠났을까
진홍빛 기억 바람이 쓸어가고
오백나한 후회보다 더 짙은 그리움
나목 끝에 찢겨진 분홍꽃잎에 나부낀다
지금은 식어버린 분화구 베고 누워
가슴에 꽃물만 하마 짙어 가는데

가을 흔적

가을은 참 맑다
맑다 못해 투명하다

먼지 한 줌 내려놓는 일이 저리
고추잠자리 날개처럼 투명해야 하리

천은사 종루 바라를 치고 가는
하늬바람보다 가벼워야 하리

호반에 헹군 '천은사에서' 마시는
녹차향보다 향기로워야 하리

번뇌 뒤척이는 오후
호수 위를 걷는 윤슬보다
더 눈부셔야 하리

- 2021. 10. 17. '천은사에서'

오늘도 나는 극락강역으로 간다

하늘아래 가장 작은 정거장
지상에서 가장 거대한 정거장
나는 오늘도 거기 극락강역으로 간다
에움길 굽이굽이 에둘러 간다
숨가쁜 고갯길, 아찔한 내리막을 건넌다

언제는 온 가족 물안개 웃음지피고
언제는 둘만의 오롯한 여행길 꿈꾸다
그새 쫓아온 시간, 퍼즐 맞춰가며
내 지친 보금자리 찾아가는 길
오늘과 내일이 똑 같은 길
오늘과 내일이 또 다른 길
언제나 낡은 풍경이지만
언제나 낯선 얼굴들 얼굴

주인 잃어 깨어진 슬레이트지붕에 눌러앉아
텅 빈 한 칸짜리 객차를 향해 수화를 타전하는
풍화에 엣지 잃은 블러크가 이무럽고
붉게 녹슨 여정에 동행이 눈부시던 날
레테강을 건너면 바로 저기가 극락강역
떠나는 마지막 기차기적 백기로 내걸리고

들풀처럼 핀 꽃무릇 세월 재는 역사驛舍 거기

흰 국화 한 송이 손에 든 또 다른 내가 서 있다

명시名詩

정겨운 초딩동창 송년모임
육두문자들 너덜너덜한데
명색이 시인이랍시고 시 한수 읊으라네
대답이 가 닿기도 전에 뒹구는 자갈의 해조음

책걸상도 없는 마룻바닥
책보자기 풀어헤쳐놓고 저마다 엎드려
무딘 연필심 침 묻혀가며 판서 옮기다
선생님 무서워 말 못한
내 앞줄 호성이 오줌을 싸
흘러내린 오줌 책보자기로 닦고 있었지

"선생님! 호성이 오줌쌌데요!"

땡, 땡. 쉬는 시간 종 울리면
빈 교실 흐트러진 책보자기 어지럽고
머시매들 구슬치기 자치기 딱지치기
가시내들 고무줄넘기 공깃돌놀이 목자치기

땡, 땡, 땡 수업시작 종 울리면
썰물 진 운동장엔 참새 떼 내려앉고

흙묻은 손가락 침발라 뱅노지책장 넘기며
“영희야 이리와 바둑이하고 놀자”

그래, 무슨 시낭송은 개뿔 !
덕지덕지 이끼서린 우리들 옛 이야기
어느 책보다 두터운 시집이 되고
너와 나
아름다운 한 편 명시인 것을

천창우 시의 풍격(風格), 그 다양한 세계

강희근(시인, 경상국립대 명예교수)

1. 들머리

시인이 시로써 스스로의 격을 드러내기는 결코 쉽지 않다. 시인이 정체성을 확보하고 시대와 역사를 제대로 보여줄 수 있는가- 가 그 첫 번째 관문이 될 것이고, 두 번째는 원형으로서의 자연에 접근하고 있는가 하는 것이고, 세 번째는 삶으로서의 가치를 자연과 인간의 회복에다 두고 있는가 하는 것이고, 네 번째는 보편성으로서의 사랑, 또는 신앙 차원의 사랑을 실천적으로 수행하고 있는가 하는 것이 그 항목들이다.

천창우 시인은 스스로 격을 드러내는 시인이면서 그 격이 하나의 풍격으로 자리잡히는 시인이리고 볼 수 있다. 뭐라 설명할 수는 없지만 넓고 그득한 어떤 스케일, 이내(嵐)처럼 신비한 푸름 같은 내적 깊이를 보여주는 것이 그 풍격일 터이다.

2. 자연의 원형, 섬

천시인은 자연이 원형(原形)이지만 자연가운데서 존재하는 원형을 바다를 품고 떠 있는 섬으로 본다, 〈어머니의 섬〉이 그것이다.

태양이 해 맞도록 놀다가고
어둠이 깔리면 달과 별이 찾아드는 곳
수평선 먹줄 튕겨 어둠과 빛을 살피 치는
그 섬은 언제나 거기 있었다
공룡이 새끼를 치고 조상새 둥지를 틀던
그날 이전부터 오늘까지 그리고 내일도
섬은 그렇게 존재했고 존재하고 존재할 것이며
나 떠난 뒤에도 흔들리지 않고 그 자리에서
내 뒷모습 전송하며 서 있을 것이다

늘 그 섬의 치마폭에는 삶이 꿈틀거렸다
자연이 자연을 창조하는 생명의 쉼터
낮에는 물 아래 제 품 내어주고
밤이면 허공에 제 곁을 내어주며
호박꽃에 불 밝힌 반딧불초롱 걸어놓고
수평선 바늘에 꿰어 세월을 솔기지어
가난해도 부유한 삶을 창조했었지

그래서 섬은 어머니가 되었어
샛바람 스치면 칭얼대는 바다 어르며
풍성한 가슴 내물리는 어머니 되었지
아침은 황금카펫에 햇볕을 초대하고
저녁은 장밋빛카펫에 별빛을 누이며

진종일 부테허리 조여맨 베틀에 앉아
바디 당겨 북을 밀어 꿈을 짠다지
하늘이 처음 열리고 닫히는 그날까지

- 〈어머니의 섬〉 전반부

섬은 아득한 옛부터 존재했고 존재하고 존재할 것이라는 점에서 영원한 원형이다. 제 품 내어주고 제 곁을 내어주며 수평선 바늘에 꿰어 세월을 솔기짓는 그런 창조의 원형성이다. 그러나 상처 난 원형은 언제나 외로웠고 울지 않는 천둥을 수놓으며 오래 침묵한다. 그러므로 모성이다. 벌레먹은 섬, 상처 입은 섬이지만 모성으로 존재하는 것이다. 바람은 그 모성에 길을 내고 길은 잠자는 섬을 겁탈하고 짓밟는다. 길은 인간의 편의를 위하여 작동되는 파괴다. 이러한 인간의 편의주의와 탐욕은 결국 자연을 상처 난 피사체로 피 흘리게 하였다. 시는 종장으로 가서 "나는 상처 난 창으로 오래 병든 어머니를 내다본다"고 썼다. 피 흘리는 섬을 통해 자연의 희생과 내어줌이라는 영원한 모성의 넉넉한 공간을 확인할 수 있음이리라.

독자는 다시 원형의 한 공간을 찾아 나선다. 〈제주도 검은 돌담으로 누워〉가 섬이 갖는 한 공간이다.

때로는 가슴에 숭숭 구멍을 뚫어
하늘 한 줌 구름 한 가닥 깃들여 놓고
맵고도 시린 바람 품어내었으리
짜디짠 햇살 견뎌내었으리

엉성한 듯 수더분한 듯

자리젓처럼 떼 지어 세월을 곰삭히며
상처마다 돌이끼 같은 푸른 생명
어우렁 더우렁 키우며 살았으리
이승 저승 숨비소리 엮어가며 살았으리
- 〈제주도 검은 돌담으로 누워〉 부문

이 시로써 섬의 의미는 하늘, 구름, 바람, 햇살이 서로 세월과 더불어 혼융으로 교통하고 푸른 생명들과 숨비소리로 엮여 살아가는 것이다. 엉성한 듯하고 상처입고 구멍 숭숭 나 있어도 어우렁 더우렁 얽혀 일체가 되는 하나로 곰삭히는 돌담이 된다. 바람이 바람을 걸러내고 돌이 돌을 이고 늘어서서 자리젓처럼 곰삭아 때때로 돌이끼로 감기는 것은 그 자체가 생명이다. 돌담이라는 무생명이 생명으로 되살아나는 자리가 제주 삼다의 하나인 돌이라는 모서리다. 영적으로 돌에도 나무에도 날짐승에도 혼이 깃든다고 한다. 제주도 섬이라는 공간이 그런 깃듦의 세계가 아닌가 한다. 그런 세계에 누워 숨비소리 같은 날카로운 삶을 되돌아보는 시인의 눈길이 참 따숩다.

3. 전원의 삶, 그 생명적 실천주의

천창우 시인은 전원적인 환경에서 생활하는 분이다. 전원이 가슴과 생활공간으로 들어와 있는 것으로 읽히는 시편들이 하나의 첿터를 이룬다.

잡초 밀림처럼 어우러진 무텅이에
도둑처럼 기어들어 슬그머니 뿌리내린

억센 칡뿌리들 좇아가며 캐냅니다.
허리께 넘는 억새풀 갈대 강아지풀
베어내고 아예 싹이 돋지 못하게
뿌리까지 파헤쳐 추려냅니다, 금방
이른 오월 햇볕은 연못에 빠진 생쥐가 되고
수익잖은 손바닥 콩알만 한 물집이 잡힙니다

덩이 흙 부수고, 크고 작은 돌덩이 추려내
퇴비 뿌려, 일구고, 두둑 짓고, 다독다독 이랑 고릅니다
귀찮은 잡초 없애고 지열을 높이고
가뭄 타지 말라고
검은 비닐 깔고, 바람 들지 못하게
가장자리 돌며 야무지게 흙으로 갈무리합니다

그러고서야 모종을 꼭꼭 눌러 심습니다
고추, 상치, 가지, 마디호박을 심습니다
구수한 된장국 끓일 아욱도 심었습니다
당신 이것들 거둬들일 때 무료할까봐
붉은 대추토마토도 여남은 주 심고
영근 꿈 꼭꼭 다져 땀으로 물을 줍니다

살품 넉넉한 내 영혼의 텃밭에 심는
바로 당신입니다

- 〈텃밭에 움돋는 사랑〉 전문

따옴시의 당신이 누구일까? 당신을 심는 일이고 텃밭을 가꾸는 일이다. 모종을 심는 정성이 지극한데 모종을 심는 것은 텃밭이지만 영혼의 텃밭에는 무엇을 심는단 말인가. 영혼을 일으켜 주는 상대 주인공은 사람일 수 있고 신(神)일 수

도 있다. 어느 것이 맞을까? 읽는 이에 따라 상상은 각기 다를 수 있을 것이다. 그러나 텃밭을 가꾸는 일의 진지함이나 정성으로 볼 때 인간이 아닌 절대자로 보인다. 곧 신으로 보인다는 말에 다름 아니다. 그것은 성서에서 그날은 도둑처럼 올 것이라는 말씀을 생각해보면 그러하다. 그러니까 텃밭을 일구는 일이 신앙적 행위와의 등가성을 보여주는 것이 되는 것이다. 전원은 일체된 시인이요 모든 것이 생명이고 기다림의 관계이며 계절의 순환을 알려주는 책력이다.

> 여기 있었네, 어느새 여기 와 있었네
> 내게는 스쳐 지난 어제일 거라 생각했는데
> 나에게는 오지 않을 내일일 거라 생각했었는데, 당신
> 엄동에도 늘 푸르게 내 곁에서 숨 쉬고 있었네요
> 수줍게 손 내미는 수선화 저 여린 잎 좀 봐!
>
> 미동조차 잊은 늙은 겨울 낙엽
> 썩어가는 희망은 망연히 비켜 누웠고
> 나목의 몸통에 시비詩碑가 된 그리움 하나, 매 순간
> 정수리 꿰뚫고 한정없이 거꾸로 자라나는 석순
> 핏자욱엔 적막의 이끼들 까무라쳐 우는데
>
> 저 여린 손가락 좀 봐봐
> 천지를 들어올리네
> 길을 잃은 기억들은 다시 암반을 뚫어 분수로 치솟고
> 내 삶에 승선했던 시간들이 아름다운 우리
> 만나야 채워지는 사람으로 푸르게 품어 기다리는
> 당신과 나, 깨어지기 쉬운 투명한 유리꽃이네
>
> - 〈새싹 변주곡〉 전문

따옴시의 당신은 앞 시의 당신과 같은 것일까? 일단 시에서는 당신이 “엄동에도 늘 푸르게 내 곁에서 숨 쉬고 있었고” ”손내미는 수선화 여린 잎“으로 지적하고 있다. 마지막 연에서 ”내 삶에 승선했던 시간들이 아름다운 우리“이고 ”만나야 채워지는 사람으로 푸르게 기다리고 싶은/당신과 나“라고 알린다. 그렇다면 당신은 수선화 여린 잎으로 비유되는 사람임이 분명하다. 시인은 ‘새싹’을 바라보는 전원에서 갖가지 나무나 풀잎들이 가지는 속성에서 한결같이 ‘한 사람’을 생각하고 있다. 그 사람은 현재는 부재한 것으로 읽히면서 갈고 키우고 물주고 하는 일은 부재한 사람을 전제로 하고 있다고 볼 수 있다. 그 부재한 존재는 시비로 새기는 기다림과 그리움이다. 그것은 숭고하여 ”깨어지기 쉬운 투명한 유리꽃“이란 것이다.

그렇더라도 그 일은 텃밭에서 일구는 흙이고 밭갈이고 다듬기 같은 노동인 것이다. 시인의 노동은 기다림이며 회복이고 우리네 일상의 삶 자체이다. 땀 흘려 일하는 근로적 현실이라야 원하는 목표에 가 닿을 수 있다. 이상이나 사랑은 직접적인 노동이 아니라 정신이라는 변주적 탄주 과정에서 이루어지는 것이리라.

4. 잃어버린 에덴, 마스크 시대

오늘 이 시대를 두고 ‘코로나19’시대, ‘펜데믹시대’라고들 한다. 우리나라에만 국한된 것이 아니라 전 세계가 같이 앓는 인류적 세기적 사태라 할 것이다. 천창우 시인은 이를 어떻게 읽고 있을까?

너무나 당연한 그래서 그런 것이려니 했어 콩나물시루 같은 지하철 2호선 타고 한 방에서 가족처럼 웃고 울다 때 되면 삼삼오오 근처 밥집으로 몰려가 끼니를 때웠지 끝나면 끼리끼리 포장마차에 앉아 어깨를 부딪치며 어제와 다름없는 오늘 소주잔에 부어 마셨지

때론, 누렇게 곪은 종기처럼
톡, 터트려버리고 싶은 일상이었어
그래서 저마다의 가슴 속에
꿈꾸는 별 하나 심어 두고 살았지
로또 잭팟이 어둠을 환히 밝히는 날 기다리며

겨울 어느 날 그 잭팟 터졌어
너무나 당연했던 일상은 범죄가 되고
멀었던 이웃은 더 멀어져야 했지
습관처럼 나누던 악수는 주먹이 대신하고
마스크 사기 위해 날짜를 배정받아
약국 앞에 카드 들고 줄을 서야 했어
환자용 마스크는 일상의 필수품이 되고
부부사랑도 사회적 거리를 유지해야 했어

세상은 '코전B.C.'과 '코후A.C.'로 나뉘고
'코전'의 이야기는 전설이 되었다지
가족도 이웃도 친구도 동료도
식사도 취미도 유흥도 여행도
사회적 거리란 걸 유지해야 했어
저마다의 고도에서 혼자 아닌 혼자로 살아가는

- 〈다시 잃어버린 에덴〉 앞부분

과거는 에덴이라는 것이다. "누렇게 곪은 종기처럼 톡, 터트려버리고 싶은 일상이지만" 그것이 좋았다는 것이다. 사람과 사람이 단절되고 가족이 이산되고 이웃이 먼 곳의 기약 없는 존재로 전락해 있다는 것이다. 손과 손을 잡음으로 안부를 묻는 악수마저 금기가 된 오늘, 에덴동산은 두 번째 우리에게서 사라져버린 것이다. 지금 상황은 "저마다의 고도에서 혼자 아닌 혼자로 살아가는" 상황이다. 이 시는 다만 펜데믹 시국의 초기에 쓴 시로 읽힌다. 약국 앞에서 줄서서 마스크를 산다는 것으로 보아 그렇다. 그렇지만 이 상황은 '진저리진 공간만 아메바처럼 그 지평을 넓혀간다'고 절망하고 있다. 이것을 인간의 이성으로 해결할 수가 있는가. 지나간 인간들의 자성이 자성으로써 돌아올 때 그때를 기다려서 희망이 오는 것일까, 아무도 모른다.

시인은 다시 〈섬진강 봄비로 오는 펜데믹〉에서

"불러도 내 입술에는
체납된 노란 압류딱지 붙어있어
마른 사막을 삼키는 침묵만 내뱉을 뿐
강기슭에 매화향기 먹물처럼 번지고
와도 오지 않는 봄이 하도 멀어
매화꽃잎에 스며 눈물지는 봄비"

라 노래한다. 노래가 아니라 절규하고 있다. '체납된 노란 압류딱지'로 입술을 틀어막아, '마른 사막을 삼키는 침묵'이 흐르고, 강기슭 매화향기 먹물처럼 번지고, 봄은 왔지만 아직 봄은 오지 않는다는 것이다. '밍크'의 그림 〈절규〉의 그 물살로 소용돌이치는 별 같은 것이 이 상황일까. 매화꽃가지가 봄비를 물고 섬진강을 내려다보는 그 정황이 이런 아픔이라는 것일까. '어부는 구름에 그물을 던지고' 있다. 이는 강물에 내려앉은 하늘에 그물을 던지는 역설적 표현임에 틀림없다. 그래서 시인도 한 사람으로 돌아가 자신의 가슴에 그물을 던지고 있다. 전원에서는 전정가위를 던져버린 형국이라 할 것이다. 이 시대는 자연까지 역설이며 부조리다.

역사의식은 미래의식이다. 어제의 시간에서 내일을 읽을 수 있기 때문이다. 천시인은 크게 보아 시대와 역사를 외면하지 않는 시인이다. '펜데믹' 시기를 지나가는 것도 시대 읽기에 속한다. 거기다 그는 '세월호 사건'에 대한 역사 인식에도 소홀히 하지 않는 지성을 보인다 시인의 그릇이리라.

삶은 죽음을 위해 캄캄한 바다를 두드린다
세월보다 뜨겁게 끓는 맹골수로 밑바닥 뒤져
한소끔 바람에 날아간 푸른 생의 흔적을 더듬는다
비열한 승냥이 떼는 유다의 은전을 되박질하다 말고
검은 수평선 물고 컹컹 짖는다
야광탄의 손가락 휘어진 욕망을 닦고

(중략)

호흡의 마디마디가 미안해 진땀이 솟는다 뱀의 혓바닥처럼 날름 거린 무덤을 파헤치다 손가락 마디가 부러지고 생손톱이 꺾인 널 비웃는 삶과 죽음의 격벽, 어둠은 키를 넘고, 밀물처럼 다가서는 불빛이 흔들린다

우화하지 못한 나비 어둠에 산화하고
너 떠난 우주 중심축이 휘어져 비틀거린다
태양은 메마른 뭍에 저주받은 자들 가두고
이제 어둠을 못 박는다
밤은 심해의 밑바닥에 영영히 가라앉았고
젖은 옷을 벗은 유성은 좌초된 별들 작두질한다
너무 낮아서 넘을 수 없는 격벽이 운다
질식할 어둠이 진저리 친다
영영 해가 뜨지 않는 칠흑의 밤바다 울리는
피멍든 손목채로 두드리는 운판 목어소리 함께
캄캄한 지하의 세계 휘돌아 맹골수로에 거친 맥노리 뿌려도
새는 다시 날아오르지 못한다

(후략)

- 〈세월호 녹슨 잔해 앞에서〉

세월호 사건은 안산 단원고등학교 학생 325명을 포함해 476명의 승객을 태우고 인천을 출발해 제주도로 가던 배가 2014년 4월 16일 아침 전남 진도군 앞바다에서 설명이 안 되는 침몰을 한 사건이다. 그 후 몇 번의 특별조사위원회가 구성되어 활동을 했지만 우여곡절이 있었고 아직 사건은 미완으로 우리 곁에 남아있는 사건이다.

따옴시는 세월호의 녹슨 잔해 앞에 가서 느낀 바를 시로써 읊은 것이지만 시인은 "천만 개의 노란 리본으로도 다 못 전할 말 말들"이라 하며 가슴을 치고 있다. 부모는 차오르는 차가운 바닷물에서 숨져가는 자식을 생각하며 이팝꽃 같은 쌀밥 한 그릇이라도 더 먹여 보낼 수 있다면 이탈리아 코스타 콘코르디아호 유람선의 비겁한 선장 '프란체스코 셰티노'

에게 선고된 2,697년의 형량에 열을 곱해도 좋겠다고 한다. 비극의 당사자들 뿐 아니라 온 국민은 단군 이래 이렇게 설명이 안 되는 사건은 없었다고 말하며 안타까워하고, 울분을 삭이지 못한 채로 있다. 시는 그리하여 "이 절망의 땅에서 짓밟힌 연두빛 딸아! 아들아!"하는 사과로 맺는다. 역사는 그것이 역사이기에 역사의식으로 접근하면 풀리고 이해된다고 볼 수 있다. 그러나 아직은 그 본질이 날 것으로 남아 있는 실체 앞에 시인은 절망의 돛을 올리고 있다. 어디로 가야 하는가, 묻는 물음표이다. 아니 그 물음 앞에 놓인, 입술을 차압시켜버린 마스크이다.

5. 나는 너에게로 가는 섬

천창우 시인의 종국적인 지향은 '너'에게로 가는 것이다. 전원적인 시편에서도 약간 그 지향의 편모를 읽었지만 삶의 밑바닥과 모래사막을 지나가면서 그 지향은 확실해 진다.

사막을 항행하는 낙타는 쉬지 않는다
돛이 없는 배는 흐르는 모래를 딛고
곧은 돛대는 파도에 떠다니는
열대의 지평선을 끌어당긴다, 하지만
다가오는 사구는 언제나 밟히는 법이 없다

(중략)

매 순간이 죽어가는 생의 절편
절망이 포기한 지평선은 사구와 구릉으로 제 집을 짓고
생을 짊어진 낙타는 지평선을 반추하는 부호를 타전해

기울어 가는 난파선을 호출한다
사암으로 굳어진 전설들 목울대를 치면
물에 불은 별들 비명을 삼키며 죽어가고

그래도 나는 너에게로 가는 섬이고 싶다
외로우면 네 품안에 흐르는 섬이고 싶다
사막의 길을 쫓다 나침판을 잃어도 다행일 것 같아
행여 자리를 들고 일어서질 못한다
낙타는 오늘밤도 돛폭을 펼치고 운다
변덕스런 열풍을 거슬러
잡히지 않는 사구를 쫓아
오늘밤도 메마른 사막을 항행하는 섬

- 〈섬은 흐른다〉

따옴시는 '흐르는 섬'인데 바다가 아니라 사막을 흐르는 낙타 이야기를 하고 있다. "사막을 걷는 낙타는 쉬지 않는다"면서 모래사막의 항행으로 들어간다. 아무리 가도 지평선과 사구는 밟히지 않는다, 그래서 "생을 짊어진 낙타는 지평선을 반추하는 부호를 타전"한다. 현실을 탈출하려고 구원을 요청하는 기도다. 기도는 바다가 올 자리에 사막이 나오고 낙타가 등장함으로 긴장이 훨씬 배가된다. 과정은 절망이고 지평선이지만 그 너머에 있는 너, 품이 넓고 어디를 가도 방향이 그 안으로 드는 광활한 나라로 간다.

너는 무엇인가, 돛폭을 펼치며 꿈으로 도달하는 곳이면 하늘일 터이다. 아니다 하늘에 임재하는 신의 품 안인 것이다. 열풍과 사막과 사구와 지평선을 포근히 감싸 주는 영역은 시의 영역이다. 천 시인은 그 넓은 품으로 가는 섬의 항해사이다. 시인에게서의 섬은 바다에서만 흐르는 것이 아니라 사막에서도 흐른다. 신의 품에서는 개별적인 피조물이 본질에 수렴된다는 점을 이해하고 있는 것이다. 그런 모든 넓이의 품은 사랑이요 은총의 공간이다.

다음 시도 앞부분에서부터 영역이 신의 마당임을 적시한다.

신을 닮은 당신 앞에
나는 신을 만나지 못했습니다, 물론
신도 나를 알아보지 못했지요
한 순간도 쉬지 않고 뛰는 심장 드리는
돌제단의 높이 든 칼 싸늘한 광채를 품고
만 권의 노트에 쌓은 기호들 그리
어둠의 불에 태웁니다, 그러나
그 언어와 기호의 행간마다 숨 쉬는
쉼표는 영원한 진행형입니다, 그렇게 널부러진
읽어낼 수 없는 경전의 언어들, 지금
침묵의 궁전에 갇혀 있을 뿐
티끌 하나 소멸된 것은 없습니다, 그것들
바람으로 극지의 창공 맴돌다, 어느
가난한 오선지에 뿌리를 내리겠지요
우리는 신도 붙들어 매어둘 수 없다는
그리움들 투명한 어둠의 벽에 가두고
핏빛 울음 토해냅니다
그러나 지금은 전갈들
그들만의 이야기가 옷깃을 잡습니다

(중략)

밤마다 깊어가는 심연에 범선을 띄우고
시간이 함몰하는 곳에 바다를 열겠습니다
피쿼드의 돛을 펼치고 제게로 오시지요
그 길 등대불로 밝게 쓸어두겠습니다, 그러나
굳이 험한 길 오시지 않아도 괜찮습니다
당신을 기다리는 기다림으로 행복하니까요

- 〈꽃무릇의 겨울 사랑〉

따옴시는 무궁한 그리움과 인내를 내포한 꽃무릇을 두고 신을 닮았다고 썼다. 그렇지만 시인은 아직 신을 만나보지 못했다고 말한다. 그러나 궁전에 갇혀 있는 경전의 언어들은 훼손 없이 고스란히 보존되어 있으니 신도 그렇게 보존되어 있단 것일 터이다. 그래서 화자는 밤마다 깊어가는 심연에 범선을 띄우고 바닷길을 열어놓고 그 신을 기다리겠다는 것이다. 그러니 신께서도 웨이헤브 선장의 바람같이 빠른 포경선 피쿼드호를 타시고 제게로 오시지요. 등대불로 길을 쓸어 놓고 기다리겠다는 약속이다. 인용시는 꽃무릇과의 사랑언어를 신과의 사랑언어로 환치시켜 놓고 있다. 다만 〈섬은 흐른다〉가 사막의 언어로 사구를 지나 지평선을 여는 데 비해 〈꽃무릇의 겨울 사랑〉은 꽃의 언어로 수평선을 연다는 점이 다르다. 하지만 신에게로 가는 길이라는 점에서는 일치한다. 그러나 뜻밖에도 화자는 마음과는 달리 "굳이 험한 길 오시지 않아도 괜찮"다고 말한다. 그리고 기다리는 기다림만으로도 행복하다고 한다. 이것은 약속에 대한 믿음이다. 이 믿음이 시인의 신앙인 것이다.

6. 마무리

천창우 시인은 시로써 광역성 교양에 닿는다. 자연, 섬, 시대, 역사, 신과 보편적 사랑에 지향의 깃발을 만들어 걸고 있다. 그런 그는 언제 어디서든 서성거리거나 멈추지 않는다. 바다와 모래사막과 함께 흐른다. 사구도 지평선도 그 역동성으로 창조해 흐르고, 수평선 돌아앉은 섬도 함께 흐르고 있다,

결국 다들 어디로 가는 것일까? 인간의 탐욕에 의해 벌레 먹히고 파괴된 섬에서 다시 회복되는 자연을 기원하는 전원의 허리를 지나, 사막의 사구를 지나, 진도앞바다 맹골수로를 지나 시인이 가는 길은 겸손과 누군가를 기다리는 하염없는 긴 기다림이다. 그리고 그 앞에서 영혼의 짐을 부리는 자리까지 나아가는 여정이다. 그 길은 키르케고르 말처럼 벌거벗은 채로 절대자 앞에 고독하게 선 단독자의 길이기도 하다. 시인은 이 길을 걸어가는 동안이 기다림이며 삶임을 말한다. 가고 기다리고 다시 태어나는 존재의 궤적을 좇는 이 길을 무던하게 드러내주는 시인은 풍격이 높다. 독자는 그 풍격에서 상처 난 삶과 치유된 자연을 만나고 있는 시인을 찾을 수 있을 것이다.

천창우 세 번째 시집

벌레먹은 섬

인쇄 | 2021년 11월 23일
초판1쇄발행 | 2021년 11월 25일

지은이 | 천창우
펴낸이 | 이갑주
펴낸곳 | 도서출판 다컴

등록 | 2005년 8월 9일
등록번호 | 482-2005-000004
주소 | 57939 전남 순천시 강변로 857
전화 | 061)753_8006
FAX | 061)751_4423

ISBN 978-89-6461-338-2 (03800)

정가 10,000원

* 이 책은 **한국예술인복지재단**의 창작지원금으로 제작하였습니다.